我々の死者と未来の他者

戦後日本人が失ったもの

大澤真幸
Ohsawa Masachi

インターナショナル新書 137

はじめに

アメリカの政治学者エリカ・チェノウェスの推計によると、二一世紀の最初の二〇年間で起こった、非暴力抵抗キャンペーンの数は、二〇世紀の一〇〇年間に起こった数の合計よりも多かった。[*1] 非暴力抵抗キャンペーン、すなわちチェノウェスが「市民的抵抗」と名づけた社会運動とは、政治的・社会的・経済的な現状を打破することを目的としてなされる、暴力には訴えない集団行動である。推計にあたっては、一〇〇〇人以上が参加した運動が市民的抵抗のケースとしてカウントされている。この種の集団行動の最もわかりやすい実例は、デモだが、ほかにもいくらでも方法がある。ストライキ、不買運動、公開の討論会、等々。あるいはフラッシュモブを活用した示威活動などもこれに含まれる。ただし、「炎上」のようなネットの中にとどまる現象は含まない。

チェノウェスは、二〇一一年に出した本で、一九〇〇年からその時点までの世界中の政治運動についての膨大な歴史的データを収集し、分析した上で、常識に反する次のような仮説を提起し、人々を驚かせた。[*2] 暴力的な政治運動よりも非暴力の運動の方が、成功率がずっと高い(後者の成功率が前者の二倍)。このことは、体制の転覆や政権の交替を求める革命的な運動の場合でも成り立つ。そしてピーク時に人口の三・五％が参加する運動は——きわめて例外的なケースを別にすれば——、ほぼ確実に成功する。〝三・五％〟と聞くとごくわずかだという印象を与えるが、日本の人口で計算すれば四〇〇万人余りにあたるので、決して小さい数字ではない。日本くらいの人口規模の国では、四〇〇万人を動員するデモで何かを要求された政権は、その要求を全面的に受け入れるか、そうでなければ崩壊するほかない。

繰り返せば、非暴力の市民的抵抗の数が、二一世紀になってから急激に増えている。最初の二〇年間で、前世紀の一〇〇年分よりも多くの非暴力の抵抗運動が起きたのだ。これは、世界全体の総計である。スーダンやインドやブルキナファソ等のグローバル・サウスの運動も、香港での運動も、アメリカやヨーロッパなどの豊かな社会で起きた運動もすべて含まれる。「ウォール街を占拠せよ運動」も、「ブラック・ライヴズ・マター」も、「#MeToo」も、「LGBTQ」も、「黄色いベスト運動」も、この中に入っている。おそらく、二〇二〇年よりあとには、市民的抵抗の数と頻度はますます高まっているだろう。イランで起きた女性への抑圧（ヒジャブの強制）に反対するデモや、ウクライナ戦争・ガザ戦争に関連して世界各地で起きている抗議行動などが、入るからだ。

どうして、二一世紀に入ってから、市民的抵抗の数が急増しているのだろうか。我々の社会の「持続可能性」に対する不安が高まっているからに違いない。つまり、このままのやり方を続けていけば、我々の社会が、さまざまな意味での破局に至るだろうという切迫した予感が、二一世紀に入ってから急速に広まっているのだ。予感されている破局の中には、気候変動による生態系の破綻、核戦争による人類の破滅、極端な格差やその他の差別による社会の不安定、監視による自由への脅威、等々が含まれる。

そうだとすると、市民的抵抗が世界各地で頻発し、その規模も大きくなっているということは、人類にとっては希望である。破局への趨勢（すうせい）を止めるためには、市場のルールの外にある、さらには議会制民主主義の枠の中にさえ収まらない、（非暴力の）市民運動によるほかないからだ。

が、ここで、日本社会を振り返ってみよう。日本社会でも、二一世紀に入ってから、市民的抵抗と見なしうる運動が増えているだろうか。増えてはいない。日本で見られるのは、むしろまったく逆の傾向である。確かに、二〇一一年の原発事故の後には脱原発を求めるデモがあったし、二〇一五年には安保法制に反対する大規模なデモが見られた。しかし、全体としては、市民的抵抗と解釈できるキャンペーンは、日本では特段に増えてはいない。だが、今述べたように、世界全体で見れば、市民的抵抗の数は顕著に増えているのだ。日本だけが例外だということになる。

どうして、日本社会だけ、市民的抵抗が——他国に比べて——極端に少ないのか。日本社会が、ほかのどの国よりもうまくいっているからなのか。もちろん、そんなことはない。そもそも、世界中の人々が不安な予感をもって見ている破局は、一国だけの問題ではなく、たいていグローバルな問題であり、したがって日本社会もまたその犠牲者の一部である。そのことは日本人もよく知っている。それならば、どうして日本でだけ、そのような破局への歩みを自らの力で方向転換しようとする市民的抵抗がほとんど起きないのだろうか。タイトルからは予想しにくいかもしれないが、本書は、この疑問に答える試みで（も）ある。

＊1　エリカ・チェノウェス『市民的抵抗——非暴力が社会を変える』小林綾子訳、白水社、二〇二二年。なお、この研究の、以下に述べるような日本にとってのゆゆしき意義に関しては、私は、経営コンサルタントの山口周（しゅう）氏から教えられた。

＊2　Erica Chenoweth and Maria J. Stephan, *Why Civil Resistance Works: The Strategic Logic of Nonviolent Conflict*, New York: Columbia University Press, 2011.

目次

第2章 トカトントンは鳴り響く

第3章 二段階の哀悼――その意義と限界

第6章 スロウ・ボートは中国に着いたか

第1章 〈死者〉を欠いた国民

1 「大正時代」という設定？――『鬼滅の刃』

『鬼滅の刃』（吾峠呼世晴）についての小さな疑問を記すことから始めよう。このマンガはどうして「大正時代」という設定をもつのか。疑問の核は、次のことにある。

大正時代という設定は、このマンガの魅力、感動のポイントとはまったく関係していない。主人公の竈門炭治郎は、鬼殺隊という秘密の保安隊・警察のようなものに加入する運びとなる。この世界には、人間を喰う鬼が跋扈している。しかし普通の人はそのことをまったく知らない。つまり我々の社会は、これ以上ないほど端的に恐ろしい敵の侵入をすでに許してしまっているのだが、そのことを自覚してはいないのである。鬼殺隊は、その敵である鬼と闘い、鬼を殺すために選ばれた者たちで編成されている。炭治郎も、偶発的な経緯により、そしてまたこの使命にふさわしい能力と性格をもっていたがゆえに、鬼殺隊の一員に加わり活動する。

このように、『鬼滅の刃』は純粋なファンタジー、純粋な虚構である。現実には存在しない鬼たちがいると仮定し、彼らと人間との死闘を描く。この物語は、現実の具体的な場所や時代を背景とする必要はない。同じように、人間の肉を喰う敵と闘う『進撃の巨人』（諫山創）と対比してみるとよい。このマンガは、『風の谷のナウシカ』（宮崎駿）と同じように、何か破局的な出来事があったあとの未来のことではないかと漠然と想像させはするが、実在の具体的な場所や出来事とのつながりをもたない。

『鬼滅の刃』も、これらと同じように、現実の時代や場所と無縁であってかまわないように思える。あるいは、作者の固有名や風俗への趣味を活かすとすれば、「少し昔の日本」といった程度のあいまいさで十分だったように思える。実のところ、難解な漢字を駆使した独特の名前への愛着からだけでも、この作品の中では、現実から虚構の空間へと遊離しようとするベクトルと、逆に現実へと着地しようとするベクトルの両方がともに強く働いていて、二つのベクトルが均衡しているということを読み取ることができるのだが、今は、そうした精度の高い分析をするときではない。いずれにせよ、『鬼滅の刃』の主題にとって、「大正」という、日本の歴史上の特定の時代を背景として指定しなくてはならない必然性はないように見える。実際、マンガの中に大正時代の具体的な出来事や人物はまったく登場しない。大正デモクラシーも米騒動も三・一運動も関東大震災もマンガには現れず、大正時代という背景はほとんど効いていないという印象を与える。

それならば、どうして『鬼滅の刃』は、「大正時代」という具体的な期間を、自らの舞台として要求しているのだろうか。この作品の芸術性とは無関係な、ささいな疑問をここに銘記しておく。この疑問には、あとで立ち返る。

本来の問いを提起しよう。

2　気候変動問題への日本人の極端な無関心

「環境問題に関心がありますか？」

日本人の、環境問題・気候変動問題に対する関心は非常に低い。日本と同じ程度に経済的に豊かで、民主的な政治体制をもつ他国——そのほとんどは欧米のいわゆる「先進国」（グローバル・ノース）ということになるが——と比べると、日本人のこれらの問題への関心は、著しく低い。このことは、繰り返し指摘されてきた。

日本人も、気候変動問題の深刻さについての知識はもっている。たとえば、二一〇〇年までの世界全体の平均気温の上昇を、産業革命前の気温を基準にして摂氏一・五度未満に抑えないと、以前の状態には戻ることができなくなること（いわゆる point of no return を越えてしまう）、それなのにすでに一度を超える——いや（二〇二三年にはすでに）一・三度程度の——気温上昇が生じてしまっていること、などは多くの日本人にも知られていることだ。しかし、環境破壊や気候変動に対して、何らかの対策をとらなくてはならないという切迫した意識は、日本人の間では広く共有されてはいない。

図1-1　気候変動対策への意欲と教育の関係

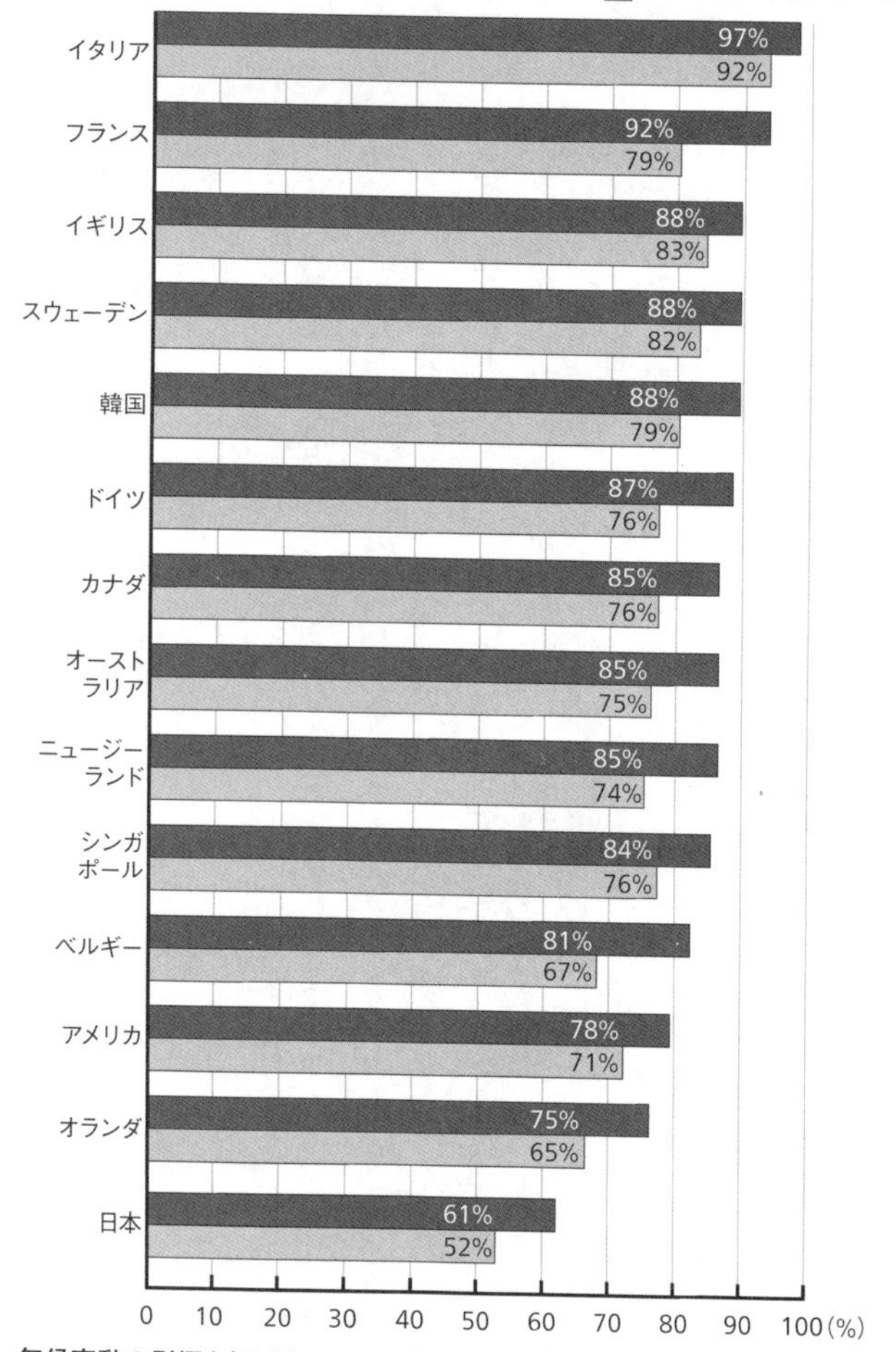

気候変動の影響を軽減するために「行動を変えよう」とする意欲は、教育と結びついている。

出典：Spring 2021 Global Attitudes Survey. Q32. "In Response to Climate Change, Citizen in Advanced Economies Are Willing to Alter How They Live and Work" Pew Research Center.

このことは、多くの事実から確認することができる。たとえば日本企業が、再生可能エネルギー等の気候変動対策につながることがらに投資している額は、欧米の企業に比べて著しく少ない。日本の投資家の間では、ＥＳＧ投資（環境・社会貢献・企業統治への配慮のある企業への投資）もさして普及していない。

ここでは、ごくシンプルな調査結果だけを見ておこう。アメリカのピュー・リサーチ・センターが二〇二一年春に実施した国際比較の意識調査を紹介しよう。[*1] **図1-1**は、気候変動の影響をできるだけ小さくするために、自分たちの行動を変えなければならないという意欲をもっている人の比率を、国別に示したものである。このグラフは、高等教育を受けた人とそうではない人とで、意欲に違いがあるかを見ることを目的としており、調査対象となっているすべての国で、前者の方が意欲が大きいことが示されているのだが、今は、教育のことは脇に置いておこう。一四カ国の中で、日本人が、気候変動への対策として行動を変えようとする意欲が最も小さいことがわかる。日本でも、高等教育を受けている人の方が、行動を変化させようとする人の率が高いことは高いが、その比率は、他の一三カ国の「高等教育を受けていない人」の比率よりも低い。要するに、日本人で環境問題に関心をもっている者の率は、他の「先進国」と比べて著しく低い（**図1-1**）。

同じ傾向は、調査対象を若者に限ったときにも認められる。日本財団が、一八歳（厳密には

図1-2　18歳の若者が「気候変動対策」を「解決したい社会課題」に選んだ割合

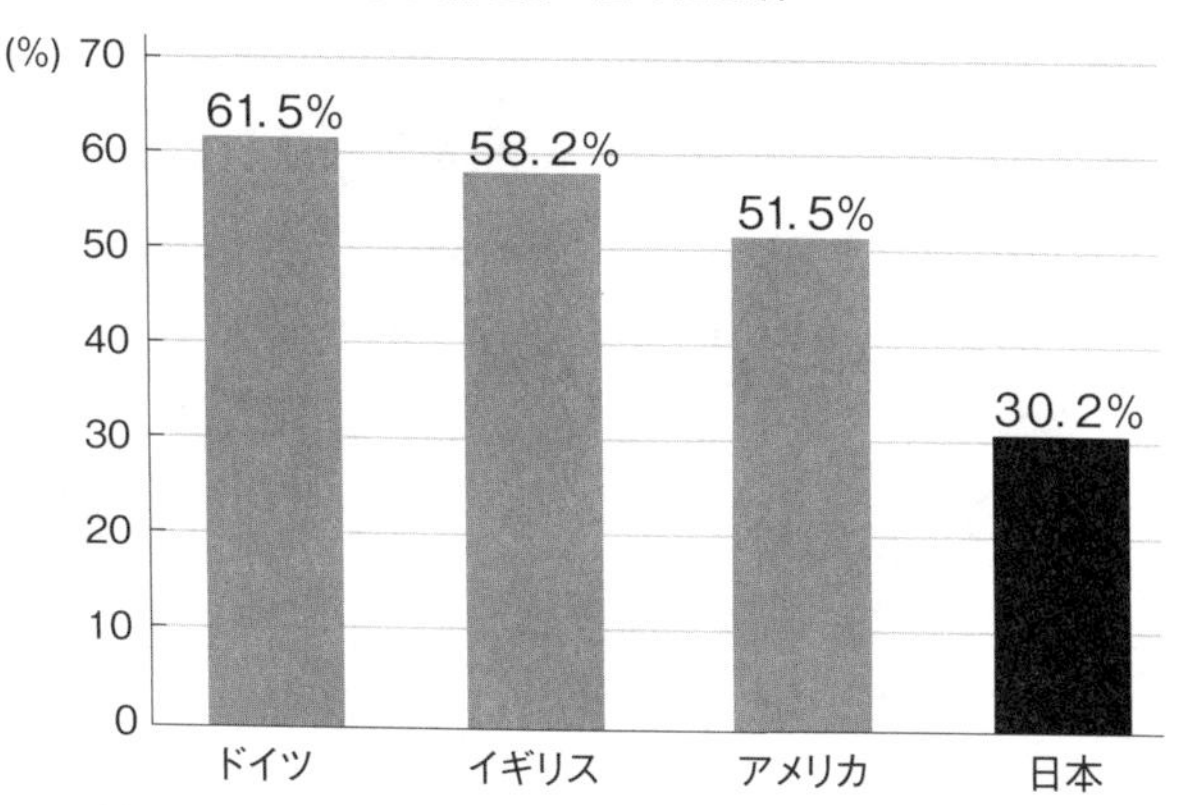

出典：日本財団 第20回「18歳意識調査（2019年）」
https://www.nippon-foundation.or.jp/app/uploads/2019/11/wha_pro_eig_97.pdf

一七～一九歳）の若者を対象に、二〇一九年に実施した国際比較調査を引いてみよう。[*2]「社会や国に対する意識調査」というタイトルをもつこの調査の中に、「あなたが解決したいと思っている社会課題は何ですか」という質問がある（複数回答可）。調査は、九カ国を対象とするものだが、中国やインドなどのアジア諸国を抜かし、経済的水準や政治制度において、日本とある程度近いと見なすことができる欧米の三カ国（アメリカ、イギリス、ドイツ）について、この質問への回答を調べてみよう。三カ国では、一八歳の若者の「解決したい社会課題」の最上位（一位か二位）に、「気候変動対策」が入っている。だいたい、五割から六割強の者が、これを選択している。

では、日本の一八歳の若者はどうか。彼らの

「解決したい社会課題」の上位五位の中には、「気候変動対策」は入っていない。「気候変動対策」を選んだ日本の一八歳は、およそ三〇％で、やはり他の「先進国」に比して目立って低い[*3]（図1-2）。日本の若者からは、グレタ・トゥーンベリのような人は出てきそうもない。

日本人は無知なのか？

どうして、日本人は、他の国々の人々と比べて、環境問題や気候変動問題に対して強い関心を示さないのか。確かに、多少の関心をもっていたとしても、今、各国でなされている対策程度では、たとえば風力発電などの再生可能エネルギーの比率を増やしたり、電気自動車に切り替えたりといったことくらいでは、とうてい破局へと向かう気候変動は止められない、という説もある。[*4] その説は、実際、たいへん説得力がある。しかし、それでも、「今なされている程度」の対策もなされないようでは、それを超えるより徹底した変革などとうてい望めない。

だから、もう一度、問おう。どうして、環境問題や気候変動問題に対する日本人の関心は著しく低いのか。日本人の知識が足りないことに原因があるのだろうか。多分、そうではない。もし日本人の知識が不足しているのだとしたら、因果関係は逆である。関心がないために、知識が普及しないのだ。

そう考える根拠は、日本の初等・中等教育における「理科」の成績の国際的な高さである。

環境問題・気候変動問題に最も関連の深い学校の科目は理科だろう。国際教育到達度評価学会による「国際数学・理科教育動向調査（TIMSS）」によると、一九九五年以来の四年ごとの調査で、常に、日本の小学生・中学生の理科の成績は、上位にあった。たとえば二〇一九年の調査では、日本の中学二年生の理科の成績は、三九カ国中第三位で、欧米のどの国よりも高い。

だから、日本人は自然科学に関して標準以上の知識をもちながら、今や、多くの科学者が警鐘を鳴らし、ほとんど通説になろうとしている地球生態系の差し迫った破壊に対して、危機感をもつことができずにいるのだ。さらに問わざるをえない。どうしてだろうか。

多くの予兆が

気候変動問題への関心が世界中で急速に高まっているのは、近年、これまではほとんど考えられなかったような異常気象や大規模災害が次々と起きているからである。春先から始まるような極端な猛暑とか、大規模な山火事の頻発とか、バッタの大量発生とか……。こうしたことは、誰にでも実感できるので、それらを引き起こす基底的な原因として地球温暖化などの気候変動が起きているという学説を信じる手がかりとなる。

さて、そうだとすると、日本列島の気候は穏やかで、異常気象や天変地異が起きにくいのだろうか。そのため、日本人には、気候変動への鬼気迫る実感がわかないのだろうか。だが、日本列島もまた、極端な異常気象に見舞われていることは、この列島に住む誰もが知っている。近年の夏の猛暑は凄まじく、超大型の台風や激しい集中豪雨にも襲われている。「観測史上最大の」と形容される暴風雨など、極端な気象現象が、毎月のように連続することがある。そもそも、新型コロナウイルス感染症のパンデミックもまた、気候変動を引き起こすような「人間と自然環境との関係の変化」に起因しているとの説が有力であり、日本人もまた、当然のことながら、このパンデミックに苦しめられている。[*5]

つまり、日本人もまた、これまでであればとうてい起きそうもない極端な異常気象や自然災害を経験している。だから、ますますふしぎである。どうして、日本人は気候変動の危機に対してひどく鈍感なのか。

徴としての奇蹟

ここで連想されるのは、新約聖書の福音書に記された、イエス・キリストによる数々の奇蹟である。イエスの奇蹟と気候問題との間にどんな関係があるというのか。

福音書によれば、イエスは、さまざまな奇蹟を引き起こす。水をぶどう酒に変えたり、死者を復活させたり、盲人の目を開かせたり、水上を歩いたり……。なぜイエスは奇蹟を起こしてみせたのか。彼は、人々を驚かせたかったわけではない。もちろん自己顕示からそんなことをしたわけでもない。では奇蹟は何のためだったのか。

キリストの福音（よい知らせ）とは、要するに、「神の国は近づいた」ということだ。神の国は、もう目前にまで迫っている。ほとんど、すでに神の国に到達してしまっている……と言わんばかりである。だから、すぐに悔い改めなくてはならない、と。だが、いくら、「神の国は近づいている」と大声で叫んだところで、人は、かんたんに納得し、それを信じることができるわけではない。ではどうするのか。だから奇蹟を引き起こすのだ。

これほどの奇蹟が起きるのだとすれば、神の国はほんとうに迫っているに違いない。奇蹟を起こしているこの人は、神の子であるに違いない。人は、そのように信じることになるだろう。奇蹟とは、来るべき神の国の予兆であり、その「徴（しるし）」だ。

では、イエスをキリスト（救世主）として信じなかった者たち、「神の国は近づいた」という福音を受け取らなかった者たち、最後にはキリストを殺害してしまった者たちは、奇蹟を見ていなかったのか。彼らは、奇蹟の現場に一度も立ち会うことがなかったために、信じることができなかったのか。ここが肝心なところである。彼らは、必ずしも、奇蹟を見ていなかった、というわけではないのだ。彼らもしばしばイエスが奇蹟を引き起こすのを目撃していた。

たとえば、イエスが、ラザロを復活させたとき。ラザロが死んでから四日も経過しており、その遺体はすでに墓に入れられ、死臭を発していると思われる。だが、イエスが大声で「ラザロ、外へ出てきなさい」と叫ぶと、死者は包帯で巻かれたままの姿で出てきた。それを見たユダヤ人たちは驚き、多くはキリストを信じた。だが、全員ではない。目撃者の中の一部は、その場を立ち去り、イエスに対して憎悪や敵意を抱いていたファリサイ派の人々にこの奇蹟のことを告げ口した。ファリサイ派の人々がイエス殺害のための協議を始めたのは、この直後である。

　要するに、奇蹟を見たり、知ったりしても、それを神の国の徴として受け取ることができるとは限らない。ある人にとって奇蹟が徴になるのは、奇蹟を見たり、知ったりする前に、その人に、「徴に対するにふさわしい態度」が形成されていなくてはならない。奇蹟を見たから信ずるわけではないのだ。真実は逆である。イエスを信じているからこそ、奇蹟を徴として見ることができるのだ。「知」に「信」が先行している。

　何を言いたいのか。日本人は、ラザロの復活という奇蹟を目撃しながら、そこに徴を認識することができなかった者たちのようなものだ。日本人もまた、「奇蹟」に立ち会っている。奇蹟とは、尋常ならざる異常気象、これまでの常識の中ではとうてい予想できなかったような自然災害などである。これらは、徴かもしれない。何の？　生態系の破局の、である。しかし、イエスの奇蹟のときのように、それを徴であると認識できるためには、ふさわしい態度が準備されていなくてはならない。日本人には、どうやら、その態度が欠けているようだ。イエスの奇蹟に関しては、必要な態度とは、イエス・キリストへの信仰であった。では、環境問題・気候変動問題では、何がそれにあたるのか。

3 〈未来の他者〉

現代の日本人に欠けているもの

気候変動に伴う生態系の破局は、まだ起きてはいない。それは差し迫っている。が、しかし、真の破局が到来し、深刻な被害が目に見えるものになるのは、たとえば海抜の低い低地や島々が水没してしまうのは、これからである。温暖化に伴う被害を語るとき、主として念頭に置かれているのは、二一世紀の後半・終盤、とりわけ二一〇〇年頃である。二一〇〇年に、地球の平均気温はどのくらいになっているだろうか、そのときには……といった具合に、である。

二一〇〇年であれば、現在生きている我々の大半は、死んでいる。温室効果ガスを排出する人間の活動に起因する気候変動の主たる被害者は、現在の我々ではなく、我々が死んだあとにやってくる〈未来の他者〉、将来世代である。ここから、どうして日本人は環境問題・気候変動問題に無関心なのか、という問いへの暫定的な答えを導くことができる。日本人は、〈未来の他者〉にほとんどコミットしてはいないのだ。自分たちの死後を生きる〈未来の他者〉たち、将来世代が繁栄し、幸福を享受することができるだろうか、ということについての配慮が、現在の日本人には大きく欠落している。

ひどい異常気象や自然災害を「徴」として受け取るための態度が、日本人には欠けているように見える、と述べてきたわけだが、その欠落している態度とは、〈未来の他者〉に応答しようとする構えである。こうした構えがないとき、どんな異常気象でも、それは今の被害の問題でしかなく、何か特別なことを示す徴ではない。[*6]

先に、日本以外の「豊かな国」の若者は、解決したい喫緊の社会課題として「気候変動対策」を最上位に挙げる、と述べた。気候変動問題への対処を優先させるのは、それが、一部の人の利害や不幸にではなく、人類全体の困難に、いや地球全体の危機に関連しているからだ。しかし、そのように考えるためには、〈未来の他者〉の視点で問題を見なくてはならない。現在の我々にとってはまだ、それは危機として立ち現れていないからだ。逆に言えば、〈未来の他者〉の視点がないとき、気候変動問題の優先度は下がってくる。それは、年金改革や消費税率や景気対策よりも、小さな問題になるだろう。日本の若者が、そうしたケースにあたる。

問い

本書を通じて探究したい主題は、気候変動問題そのものではなく、そうした問題への日本人の無関心を規定している態度である。どうして、日本人は、ことのほか〈未来の他者〉への配慮を欠いているのか。〈未来の他者〉に応答しようとする構えが、日本人においてとりわけ欠けているのはどうしてなのか。その原因はどこにあるのか。

気候変動問題への意識は、この点を顕在化させる最もわかりやすい指標である。しかし、問題の深度や重要度を理解する上で、〈未来の他者〉の視点を媒介にしなくてはならない困難は、気候変動だけではない。というより、現在の主要な問題のほとんどすべてに関して、その真の被害者は、我々の死後の世代、いまだに生まれてはいない他者たちである。

たとえば国連は、SDGs（持続可能な開発目標）と称して一七個の課題を挙げ、さらにそれらを細目に分けているが、これらの課題を克服できなかったときの被害者、これらの課題を乗り越えたときの受益者は、主に〈未来の他者〉である。SDGsが言及している諸問題、貧困や格差にせよ、飢餓にせよ、ジェンダーの不平等にせよ、海や陸の豊かさにせよ、すでに十分に深刻なものになっていることばかりだが、これらがとりわけ心配されているのは、問題が放置されたときに、二一世紀の後半には破壊的な結果につながるだろうと予測されるからだ。〈未来の他者〉に応答しようとする構えが、何らかの原因によって日本人にとりわけ欠落しているのだとすれば、我々日本人は、これを克服しなくてはならない。ほんとうは、〈未来の他者〉への応答という点で困難を抱えているのは、日本人だけではない。現代の人類にとって共通の難題ではある。しかし、ここまで見てきたように、日本人において、困難の度合いがとりわけ深いことも確かである。どうしたら、これを克服することができるのか。

二重に不可解

カントは、「世界公民的見地における一般史の構想」という文章の中で、「不可解な謎」として、次のような趣旨のことを述べている。[*7] 人間はしばしば、その成果として得られる幸福を享受できるのがずっと後世の世代であって、自分自身ではないということがわかっているような骨が折れる仕事でも、営々と従事する、と。人間が、自分の幸福や快楽のために生きているとすれば、これは奇妙なことである。しかしたいていの人は、自らを振り返ってみれば、確かにこの奇妙なこと、不可解なことをやっている。たとえば、自分の退職が迫っていても、我々は、さして手を抜くことなく熱心に仕事をして、自分が去ったあとでも会社に残っている人、これから入社してくる人のために、がんばるだろう。

だが、ここまでの考察で確認してきたことは、カントの言う「不可解な謎」が、現代の日本人を集合的に見たときには、確かに実際に稀(まれ)なことになっているということだ。カントは、不可解で奇妙ではあるが、こうしたことは普通に見られることであると論じている。しかし、現代の日本人に関して言えば、それは普通のことではない。現代の日本人は、自分が享受するわけではない幸福のために特に努力したいとは思っていない……ように見える。

　カントが、後世の世代の幸福のためだけに骨折り仕事をするのは不可解なことだと述べているくらいだから、現代日本人のこうした傾向は——自分が享受するわけではない幸福のためには努力はしないという傾向は——、ある意味では、自然なこととも言える。しかし、日本人にだけ、特にそういう傾向が強いのだとすれば、やはりふしぎなことだ。カントが「不可解な謎」と見なした行動が、日本人においてはあまり見られないのだとすれば、それもまた不可解なのだ。不可解さは二重化していることになる。*8

4　利他性の限界

人間の利他性

　人間は利己的な動物である。だから、他者のために——他者の幸福や利益のために——自分の幸福や利益を犠牲にすることには、少なからぬ困難が伴う。このような主張に、一定の真実が含まれていることは、誰もが知っている。

　が、しかし、他の動物と比較した場合の人間の特徴は、むしろ、利他的性向が非常に強いことにある。社会性の昆虫（アリやハチ）のようなケースを別にすれば、人間の個体は、ずば抜けて利他的である。

たとえば、道に迷っていそうな人を見かければ、自分には特に利益がなくても、たいていの人は、その迷い人を助け、正しい道順を教えてやるだろう。カントの「不可解な謎」が、ここでも実は小さな規模で生じている。自分の幸福にはまったくつながらないことに骨を折っているのだから。人間にとっての最近縁種であるチンパンジーの個体も、困っている他個体を援助することは、実験によって確認されているが、しかし、人間に比べるとずっと消極的である(チンパンジーは強く要請されないと、めったに助けてやらない)。人間は、積極的に食べ物を分け合うが、チンパンジーの分配行動はきわめて稀で、かつ非常に消極的である。

人間の個体は、(一定の範囲で)他者が自分のために何かをしてくれることを当然の前提としており、その前提は、実際に、かなり高い確率で満たされている。たとえば、あなたが何か探しものをしているとき、誰かが箱を指差したとする。あなたは即座に、箱を開けてみるだろう。他者があなたに有用な情報を——その他者にとっては特段の利益がなくても——提供してくれるのを、当然だと思っているからである。人間の場合、言語習得前の赤ちゃんでさえも、他者の指差しに対して、このように反応する。しかし同じことをチンパンジーにやっても、決して、チンパンジーは箱を調べたりはしない。チンパンジーは、他の個体が、自分に有利なことを教えてくれるという期待をまったくもっていないからだ。

このように、たいていの人間は困っている人、苦しんでいる人を——一定の限度内ではあるが——助けようとする。困っている人を前にして、これを完全に無視する方が、むしろ苦痛でさえある。

遠くの見えない他者

とはいえ、このような利他性が発揮されるのは、他者が近くにいて、その存在を実感できるときである。遠い他者、見えない他者に対しては、そのような自然な利他性は発揮されない。このことが、南北間の——グローバル・ノースとグローバル・サウスの間の——搾取や格差の原因にもなっている。北側の「先進国」の人々は、「良心の痛み」を感じることなく、南側を搾取することができる。

いわゆる「オランダの誤謬（ごびゅう）」も、こうした文脈で生ずる。「オランダの誤謬」とは、次のようなことを指す。オランダのような先進国は、二酸化炭素の排出量をゼロにして、しかも快適な環境を作ることができる。実は、それは、二酸化炭素を排出せざるをえない諸活動をすべてグローバル・サウスの方に外部化しているからだ。しかし、オランダ人は、それに気づかず、自分たちは、クリーンな環境を実現できていると思ってしまう。

ウォーラーステインの「近代世界システム論」は、地球規模の階級的な搾取を分析するものだった、と解釈することができる。マルクスは、階級の間の搾取と闘争を、資本主義社会のダイナミズムを決定する基底要因と見なしていた。しかし、二〇世紀になってからは、「先進国」では、深刻な階級の対立はなくなったかのように言われた。しかし、階級の格差は、世界システムの全体の中で見れば、まったく消えてはいない。それを証明したのが、近代世界システム論である。

だが、二一世紀になってから「格差（不平等）」が、各国で——グローバル・ノースの各国で——あらためて、大きな社会問題と見なされるようになった。それは、グローバル・サウスへと外部化されていた搾取が、グローバル・ノースに逆輸入されてきたからだ。かつては、遠くにいて見えない他者たちを搾取していたのだが、もはや、彼らは搾取しきれなくなった。先進国の資本は、その分を、身近な他者の搾取によって補おうとしたのだ。[*9] このとき、不十分ながら、あらためて「格差」が主題化され、告発の対象となった。人は、見えている他者の痛みを放置することは難しい。

もうひとつの「存在しない他者」

さて、我々の論題は、〈未来の他者〉であった。日本人は、〈未来の他者〉への配慮が、顕著に小さいように思われる。それはどうしてなのか。

いま述べたように、同時代的に同じ地球にいたとしても、遠く離れているがために見えない他者に対しては、人は一般に鈍感になる。そうした場合、人間の生来の利他性も発揮されない。まして、その相手が、〈未来の他者〉だったらどうなのか。〈未来の他者〉は、豊かな国の人々にとって、グローバル・サウスの人々よりも遠い他者である。それは、無限に遠い他者であると言うことさえできる。〈未来の他者〉は、存在すらしていないのだから。

だが、もう一度確認しよう。〈未来の他者〉への応答がとりわけ弱いのは現代の日本人である。他国の市民は、日本人よりも、〈未来の他者〉に対しては敏感に反応しているように見える。この違いには、何かはっきりとした原因があるはずだ。

繰り返そう。〈未来の他者〉は存在しない。存在しない他者に応答することなど、原理的に不可能に見える、とそう示唆(しさ)した。だが、ここで考えてみよう。存在しない他者は、〈未来の他者〉、将来世代だけではない。もう一種類、存在しない他者がある。過去の他者、すでに死んでしまった他者たちである。

同じ存在しない他者であっても、過去の世代に属する他者に対しては、人はしばしば敏感に反応する。「いまだ存在しない他者」と「すでに存在しない他者」。実在の否定の度合いに関しては、確かに前者の方がより徹底している。「すでに存在しない」他者は、「かつて存在した」他者でもあるからだ。しかし、いずれにせよ、人は**しばしば**、〈**過去の他者**〉の要求には応えようとし、その拘束力は、ときには、同時代的に共存している他者たちからのそれよりも強い。たとえば、父や母の遺志に従うときのことを考えてみるとよい。亡くなった両親の期待を裏切ることは、生きている人との約束を違えるよりも、ときに辛く、重い罪の感覚をもたらすだろう。

したがって、とりあえずは、こう結論することができる。「いま一緒に存在しない」ということは、その他者への関わりを必ずしも不可能なものにするわけではない、と。そう考えれば、〈未来の他者〉に応答することの困難という問題に対しても、わずかな希望が見えてくるだろう。少なくとも〈過去の他者〉に対しては、我々はときに積極的に対応する。それならば、〈未来の他者〉であっても……。

5　ナショナリズムと〈我々の死者〉

無名戦士の墓碑

ベネディクト・アンダーソンは、今やナショナリズム研究の古典となったあの有名な著書の冒頭近くの箇所で、次のように述べている。

無名戦士の墓と碑、これほど近代文化としてのナショナリズムを見事に表象するものはない。これらの記念碑は、故意にからっぽであるか、あるいはそこにだれがねむっているのかだれも知らない。そしてまさにその故に、これらの碑には、公共的、儀礼的敬意が払われる。これはかつてまったく例のないことであった。（中略）これらの墓には、だれと特定しうる死骸や不死の魂こそないとはいえ、やはり鬼気せまる国民的想像力が満ちている。*10

ここでアンダーソンは、ネーション（国民）やナショナリズムは、近代的な現象であり、それ以前にはなかったということを示そうとして、このようなことを論じている。ネーションとナショナリズムは、かなり早いところで、一八世紀後半から一九世紀前半に、多くの地域では、一九世紀の終わりから二〇世紀に次々と誕生した。

アンダーソンが述べていることは、無名の戦士、つまり匿名（とくめい）のままに葬られた死者に敬意が払われるということは、近代以前にはまったく考えられなかったということだ。無名戦士の墓碑は、ナショナリズムが実際に働いていることの指標になる。そのことが同時に、ナショナリズムがいかに近代的なものであるかの証明にもなっている、というのがアンダーソンの主張だ。

〈我々の死者〉をもつこと

ここから、アンダーソンが言おうとしていた中心的な論点からはずれるが、ひとつのことがわかる。ナショナリズムとは、国民という共同体が〈我々の死者〉をもつことを意味している、と。〈我々の死者〉とは、現在の〈我々〉が彼らのおかげでこうして存在できているのだと思うことができる死者たちのことである。それは、〈我々〉のために、広い意味で殉死していった者たちである。もちろん、そのような死者は、戦争の死者において最も顕著であろう。しかし、「広い意味で」と述べたように、必ずしも戦争による死者である必要はない。

ネーションへの所属意識は、〈我々の死者〉をもつ、ということと同じことを意味している。ネーションへの所属とは、自分自身を、その〈我々の死者〉の系列の中に位置づけることである。つまり、現在の〈我々〉もまた、やがて〈我々の死者〉の一員となるだろう。そのことが、現在の〈我々〉の希望と合致しているとき、ナショナリズムは健在である。

ここから、ネーションやナショナリズムは、近代において、かつて宗教が果たしていた機能を担っているということがわかる。我々の人生は有限である。人は必ず死ぬ。そのことを我々は知っている。この問題に対するさまざまな回答こそが、宗教であった。「神の国」とか、「輪廻転生（と解脱）」とか、「祖霊の共同性への参入」とか……。こうしたものを素朴には信じられなくなった近代人に対しては、ネーションが代わりに回答を与える。有限な人生を超えて持続的に存在する〈我々の死者〉のうちに参入するという約束のもとで、人生に意味が与えられる。

社会学的・文化人類学的に見たとき、ネーションという共同体のそれ以前の共同体にはなかった特徴、つまりその顕著に近代的な特徴は、互いに未知な者たちの間に、深い水平的な同胞愛が成り立つということにある。ネーションの規模は非常に大きい。たとえば日本人は一億二〇〇〇万人の共同体である。国民は、互いに会ったこともなく、個人的なつながりもない。一生、会うこともないだろう。しかし、互いは本質的には平等であるとする、強い水平的な同胞意識をもっている。これがネーションである。普通、このことは、共時的な関係性に関して言われる。しかし、匿名の殉死者たちを含む〈我々の死者〉のことを考えれば、同じことは、通時的にも成り立つ。

第4節で、すでに死んだ他者たち、〈過去の他者〉について述べた。ネーションとともに、その〈過去の他者〉が、明確な同一性をもってひとつの像を結ぶ。ひとつずつのネーションに固有に所属する〈我々の他者〉として、である。

存在論的に未完成な共同体

ネーションの時間意識には逆説がある。ネーションは、比較的新しい共同体である〈近代に誕生した)。しかし、ネーションは、自分をできるだけ古いものとして想像したがる。つまり、ネーションは客観的には新しいが、主観的には古い。ナショナリストは、ネーションの古さ、古代的な起源に魅了される。どうして、このようなねじれが生ずるのか。

たとえば西洋中世のステンドグラスでは、「起源」はどう描かれていただろうか。もっと時代を近代に近づけたものでもかまわない。初期ルネサンスやフランドル派の絵画で、受胎告知、イエスの誕生、最後の晩餐、ピエタ(キリストの遺体を前にして嘆く聖母)等がどのように描かれていたか。キリスト教徒の共同体、つまり教会にとっては、これらは、すべて自らの起源に関係する出来事で、文字の読めない人々のことも考慮に入れて、主に絵画や版画として提示された。これらの出来事は、どのように描かれたか。今日の我々がこれらを見たときに覚える最初の違和感は、「時代考証」がまったくなされていない、ということである。[*11] 聖母にせよ、東方の三博士にせよ、マグダラのマリアにせよ、イエスと使徒たちにせよ、一般に、絵画が描かれた地方の同時代の容姿をもち、同時代の衣装を着ている。

ヤン・ファン・エイクの「受胎告知」(一四三四〜三六年)を例にとってみよう(図1-3)。この絵の中の大天使ガブリエルの豪華なマントもマリアの青いローブも、どう見ても一世紀のセム族のものではなく、画家が当時仕えていた宮廷があるブルゴーニュ地方の貴族の装いだろう。二人がいる神殿は、ゴシック様式だということがわかる。当時、絵画には、しばしば、その制作を依頼したパトロンの関係者が一登場人物として描かれているのだが、「受胎告知」では、マリアが、ブルゴーニュ公フィリップ三世の妃イザベルだと推定されている。

こうした事実からわかるだろう。ネーション以前の「聖なる共同体」は、自分たちの起源をできるだけ古いものに見せようなどという意欲を微塵ももってはいないのだ。起源が古いことに何か誇らしいものがあるという意識が、ここにはまったくない。そのため、ネーションの場合とは正反対の不一致が生ずる。客観的に見れば、受胎告知やイエスの磔刑などは、絵が描か

図1-3　ヤン・ファン・エイク「受胎告知」
Iberfoto / AFLO

れた時点からは千何百年も遡る、古い出来事だが、主観的な観点のもとでは、この時間的な乖離は無視され、出来事は同時代的に描かれる。述べてきたように、ネーションの場合には、これとは反対方向の逆立が生じている。前者（聖なる共同体）の不一致が起きる理由はかんたんに説明できるが、後者（ネーション）における不一致は、不可解である。聖なる共同体では、起源と現在との間の生活様式の差異は——現在の方に引き寄せられるかたちで——無視される傾向がある。逆に、ネーションでは、現在の自分たちと過去の自分たち（祖先）の間の差異が、ことさら強調されていることになる。

ネーションのこのねじれた時間意識が示していることは何か。それは、ネーションが、自らをはるかな過去からの過程の中に位置づけようとしている、ということである。言い換えれば、ネーションは、自らを常に「完成へと向かう過程にある共同体」として意味づけているのだ。それゆえ、こんなふうに言うこともできる。ネーションは、存在論的に未完成な共同体である、と。

こうしたことと〈我々の死者〉との関係は何か。ネーションが存在論的に未完成であるとすれば、つまりネーションは完成への不断の過程にあるとすれば、その未完のプロジェクトの遂行主体がいることになる。その遂行主体こそ、〈我々の死者〉である。〈我々〉は、〈我々の死者〉のプロジェクトを現在において継承する。現在の〈我々〉は、〈我々の死者〉の願望を引き継ぎながら、ネーションの理想を実現しようとしている、ということになる。〈我々の死者〉とは、現在の〈我々〉が、その願望を継承しようとする死者である。

6　日本人は〈我々の死者〉を失った

二種類の〈不在の他者〉の関係

さて、私たちの主題は、〈未来の他者〉であった。第4節では、〈未来の他者〉の双対的な相関項として、もうひとつの不在の他者、〈過去の他者〉を導入した。〈過去の他者〉、つまり現在の〈我々〉の前にすでに亡くなった他者たちは、ネーションの成立とともに、そのネーションに固有に属する〈我々の死者〉という明白なかたちを得る。

さて、ここで、二種類の不在の他者の関係について一つの仮説を提起してみよう。〈未来の他者〉と〈過去の他者〉とは、もちろんまったく別のものである。〈我々の死者〉という形態をとった〈過去の他者〉の欲望に応じることは、〈未来の他者〉のために何かを為したことにはもちろんならない。しかし、両者はまったく無関係ということでもないのではあるまいか。どういう関係があるのか。すでにいなくなった〈過去の他者〉に配慮すること、〈我々〉の現在につながりがあると見なしうる〈死者〉の願望や意思に敬意を払うなどして何ほどかの思いをもつことは、〈未来の他者〉に応ずるための——十分条件ではないが——必要条件なのではあるまいか。

　こう問うてみるとよい。すでに亡くなっていった者たち、すでにいない他者たち、しかしかつては確実に存在し、現在の〈我々〉はその人たちの為したことのおかげで存在しているのだと感じることができる他者たち、そのような他者たちからの恩を忘れ、彼らへの思いを一切もたない人が、そうした死者よりもなおいっそう徹底的に不在であるような〈未来の他者〉のことを思うことができるだろうか。〈過去の他者〉の願望に応じようとする構えがない人が、〈未来の他者〉に応えることができるだろうか。

〈未来の他者〉への応答は、〈過去の他者〉への応答よりも難しいだろう。〈未来の他者〉は、いまだ生まれても来ておらず、何を思い、何を願い、何を欲するかまったくわからない。彼らはほんとうにこの世界に出現するかどうかさえも、定かではない。そのような他者に応えることなど、原理的に不可能なことのようにすら思える。〈過去の他者〉に応答することは、それよりはずっと易しい。ときには、応答しないことの方が苦痛を伴う。〈過去の他者〉に対して配慮できない者は、それよりずっと困難な〈未来の他者〉に応じようとすることはないだろう。少なくとも、〈過去の他者〉に応えることができなければ、〈未来の他者〉を迎えることは不可能だ。

現代日本人は〈我々の死者〉をもたない

現代の日本人は、どうして〈未来の他者〉に応答しようとする構えをもたないのか。現代の日本人の〈未来の他者〉へのコミットメントが著しく弱いのはどうしてなのか。疑問に答えるときがきた。

結論はこうである。現代の日本人は、〈我々の死者〉をもたないからだ、と。日本人は、〈我々の死者〉を失ったのだ。いつ失ったのか。それははっきりしている。アジア・太平洋戦争に負けたときである。戦後の日本人は、戦前の他者たち、とりわけ戦争で死んでいった者たちが実現しようと願っていたもの、彼らがそれのために死んでいった「大義」をそのまま肯定的に継承し、それを完成しようと努力するわけにはいかない。敗戦を通じて、日本人は、自らが追求してきたことが過ちであることを学んだからである。戦争前の死者たちの願望や希望を、現在の〈我々〉は、打ち捨てなくてはならないのだ。

するとは日本人にとっては、〈我々の死者〉は、どんなにがんばって遡ろうとしても、およそ八〇年前のところで途切れてしまう。その長さは、せいぜい人間ひとりの一生のスパンである。

先ほど述べたように、ネーションは一般に、自らに属する死者、〈我々の死者〉の端緒を、できるだけ深いところに求めようとする強い衝動をもつ。ネーションは、はるかな古代から始まる未完のプロジェクトとして、自らを意味づけようとするのだ。〈我々の死者〉の系列に入ることが、そのプロジェクトに参入することでもある。しかし、約八〇年前の敗戦によって、日本人には、そのような想像によって、自分たちの現在の営みを意味づけ、鼓舞することができなくなった。

ただそれだけのことであれば、歴史認識についての「お勉強」の問題に過ぎない。だが、〈我々の死者〉の喪失には、意識されてはいない副作用が伴っているとしたらどうであろうか。〈我々の死者〉の喪失は、〈未来の他者〉へのコミットメントの欠落を必然的に伴うのだとしたらどうだろうか。日本人は、十分な歴史的な深度をもった〈我々の死者〉をもたない。このことは、知らずしらずのうちに、〈未来の他者〉への無関心に帰結する。未来へのSF的な想像力が欠けている、と言っているのではない。現在の〈我々〉の活動が、責任をもつべき相手としての〈未来の他者〉が想定できなくなっている――無意識のうちにそのような想定の能力を欠落させてしまっている――と言っているのである。

「おしん」

敗戦のところに、日本人の〈我々の死者〉に断絶がある。そのことを強く直感させるサブカルチャー的な実例を見ておこう。実例とは、国民的なテレビドラマとも言うべき「おしん」である。

「おしん」は、一九八三～八四（昭和五八～五九）年に、ＮＨＫの朝の連続テレビ小説として放送された。原作・脚本は、橋田壽賀子である。「おしん」は、おそらく、日本が制作したテレビドラマの中で、世界で最も多くの人に観られてきた作品であろう。

主人公のおしんは、明治三四（一九〇一）年、山形県の貧農の娘として生まれた。ドラマは、この女性、おしんの一代記である。彼女は、苦労に苦労を重ねながら、山あり谷ありとはいえ――その才覚と性格のよさにも与って――全体としては上昇する人生を歩む。幼い頃、奉公に出され、雪の中、いかだで両親のもとを去っていくシーンは有名である。おしんは奉公勤めなどの後、東京に出て髪結いとなり、佐賀の士族の豪農の息子に見初められて彼と結婚した後は、子供服店を営んだりする。さらに魚の行商をやったこともあれば、食料品店を開いたりもする。そして、昭和三〇年代初めに、日本にはまだほとんどなかったスーパーマーケットを創業し、最終的には、それを三重県志摩半島に一六店舗を構えるチェーンにまで発展させた。物語の現在（昭和五八年）は、おしんが引退し、息子たちにスーパーのチェーンの経営を任せるところである。

こう要約すればすぐにわかるように、「おしん」は、明治末期から一九八〇年代初頭までの日本の近代化と経済成長を、一人の女の人生に具現させた作品である。この作品が、とりわけ、いわゆる「発展途上国」の人々に人気がある理由は、すぐにわかる。今ではリッチな日本も、こんなに貧しくたいへんだった時期があるのだ、私たちもがんばろう……、と。

リアリズムに反する一点

ところで、基本的にはリアリズムに則ったこの作品の中に一つだけ、リアリズムに著しく反した出来事が入る。しかも、朝の連ドラのお約束事からするとタブー的なエピソードだ。おしんの夫が、自殺してしまうのだ。終戦の直後に、である。だが、敗戦したとき、あるいは敗戦を知らされたとき、自殺した日本人は確かにいたのではないか。そうだとすれば、おしんの夫が、玉音放送があった日の翌日に自殺してしまったとしても、それほどリアリズムに反しているとは言えないのではないか。そう思われるかもしれない。問題は、自殺の理由である。

太平洋戦争に負けてからほどなくして自殺した日本人は確かにいたが、その理由は、敗北の悔しさとか、天皇陛下に申し訳ないとか、そうしたことにあっただろう。しかし、おしんの夫・田倉竜三の自殺の理由は、これらとは全然違う。むしろ正反対である。彼は、戦中にあって、自分が積極的に戦争に協力していたことを悔いて自殺したのだ。戦中、おしんたち夫婦は、軍に魚を納入する仕事を請け負っており、事業は好調だった。しかも竜三は、日本の戦争を積極的に支持していて、自分たちの息子をはじめ若い者には、国のために戦うことを奨励していた（実際、おしんたちの息子二人は出征し、長男は戦死したし、次男は特攻隊に志願までした)。竜三は、こうしたことを悔い、戦後を生き続けることはできないと判断したのだ。

終戦の直後にこういう理由で自殺した日本人はほとんどいなかったはずだ。リアリズムに準拠していることが命である作品に、どうして、こんなありそうもない事件が入るのか。日本の普通の家族の生活を描くことを得意とする橋田壽賀子が、どうしてかくも不自然な話を入れたのか。

一人の善人が、非常な努力とちょっとした才覚によって、日本社会の近代化の流れの中で成功していく物語を描きたいとする。日本社会の法や規範やルールに大きく反することなく近代史の過程を歩む善人を、である。その場合、一つ大きな障害がある。戦前と戦後の断絶がその障害だ。善人であれば、あるいは義にかなった人であれば――現在の我々の観点からはこう見えるのだが――、あの日本の戦争に積極的に協力するはずがない。とすれば、戦前・戦中は、軍や戦争に反対する活動にでも加担することになるはずだが、そんな筋にしたら、まったく「違う話」になってしまう。戦争を挟みながら日本社会で成功していく人物を描こうとすれば、戦中にあっては、戦争に対して協力的でなくてはならない。

というわけで、一人の善人が、その善性を保ったまま、敗戦を挟んで、日本社会の上昇気流に乗りつつ、自らも成功を収める、という物語を作ることは、ほとんど不可能なのだ。一貫性を保とうとすれば、その主人公は自殺するしかない。本来だったら、終戦とともに、おしんが自殺しなくてはならなかったのだ。が、そうするわけにはいかないので、おしんの代わりに、夫が自殺したのである。

おしんの方については、ちゃんと、後から――つまり戦後の観点から見ている日本人に対して――「言い訳」ができるように、伏線が張られている。おしんは、幼少期に、善良な脱走兵に助けられたりしたこともあり、最初から、軍隊や戦争に対しては否定的だ。戦中も、戦争を積極的に肯定する夫に対して違和感を抱いている。とはいえ、反戦活動とか反体制運動に走るわけでもなく、客観的には、おしんも戦争に協力しているのだが、いずれにせよ、彼女は、あとから「私は賛成していなかった」と言えるように造形されている。物語が孕む「矛盾」は、夫が背負って自殺することで処理される。

このように、おしんの夫の自殺は、多かれ少なかれ戦争に協力的だった過去の日本人と、現在の〈我々〉とを連続的なものとして肯定することの不可能性の表現になっている。戦争を遂行した者たち、あるいは日本の戦争・敗戦までの過程を生き、その過程を担った者たち、今や死者となったこれらの者たちがいる。しかし、彼らを、現在の日本人の立場で、〈我々の死者〉と見なすことはできない。つまり、現在の〈我々〉を、その死者たちの系列の中に順接させることはできない。*12

7　二律背反と脱構築

回復と棄却の二律背反

現代の日本人は、二律背反（アンチノミー）の前に立たされている。

一方で、日本人は、〈我々の死者〉を必要としている。ここまでの診断が正しければ、〈我々の死者〉の喪失は、日本人が〈未来の他者〉へと応答することの困難の原因になっている。そうだとすれば、何らかの意味での、〈我々の死者〉の回復が必要になる。

だが、他方で、単純に、戦前の――あるいは戦争の――死者たちを、たとえば英霊として肯定して、彼らの欲していたことを継承していると見なすならば、それはもっと悪い。敗戦までの死者を〈我々の死者〉として回復する、と言うと、すぐに、戦争の遂行者たちを英霊などとして顕彰することだと思いたくなる。しかし、それは、現状よりももっと悪い。

我々は、戦前の日本人の根本的な過ちを知っている。それが、敗戦を受け入れ、新しい憲法を承認し、戦前とは異なる体制を樹立し、維持してきた、ということの意味である。戦前の過ちを否認することとは、戦後の日本人の歩みをすべて否定することでもある。それは、〈我々の死者〉を回復するどころか、〈現在の我々〉をも否定することだ。言い換えれば、それは、敗戦から現在までの過程をキャンセルし、敗戦前の時点に留まることを意味している。〈未来の他者〉への応答とはまったく逆に、過去へと執着することになる。

すると結局、〈我々〉は〈我々の死者〉を回復しなくてはならず、かつ回復してはならない。〈我々の死者〉の根本的な失敗を直視することが、同時に、〈我々の死者〉の回復でもある、という形式の回復の仕方を見出さなくてはならない。〈我々の死者〉の回復が、それ自体で同時に、〈我々の死者〉を棄却することでもなくてはならないのだ。しかし、そんなことは可能なのか。

そんなことはまったくの矛盾であって、不可能だ。……そう結論したくなる。が、しかし、ここでさらに次のことを付け加えなくてはならない。日本は無謀な戦争を始めてしまい、そしてひどい負け方をした。そうした不幸のゆえに、〈我々の死者〉ということに関して、他の国民には存在しない、解けない難題に直面してしまった。ここまでの議論から、このように思うかもしれない。しかし、必ずしもそうではない。日本人だけにふりかかっているように見える難題には、実のところ、普遍性がある。

第一の脱構築

〈我々の死者〉をもつことは、〈未来の他者〉に応ずるための必要条件である、と述べてきた。

だが、後者は単純に前者に順接しているわけではない。前者から後者への転換には、脱構築的なひねりが加わらなくてはならない。脱構築は、二つ必要だ。

第一に、〈我々の〉という特殊化する限定を、普遍性へと開くこと。〈死者〉は、〈我々の〉という限定された形式でしか、〈我々〉に訴えてこない。〈我々〉が呼びかけられていると感じることができるのは、〈死者〉が、まさに〈我々〉を選び、特定している（と感じる）からだ。もし〈死者〉が、漠然と、任意の者に呼びかけているのであれば、〈我々〉は、とりたてて鼓舞されはしないだろう。

ここから、自然に予想される発展は、〈我々の〉という限定された〈未来の他者〉のために貢献したいという態度だろう。「我々の子孫」のために、といった具合に、である。しかし、これでは意味がない。たとえば、我々が検討の題材として活用した環境問題は、特定の国民だけの問題ではないし、その克服は、むしろ、特定の国民の利害に反する（場合もある）。〈未来の他者〉からは、〈我々の〉という限定が消えなくてはならない。

幸い――と言うべきか――、現在の世代にとって有意味な共同性の範囲は、将来世代にとっても有効であるとは限らない。先に述べたように「国民」は実際には誕生してから長くて二〇〇年程度なのだから、今後も永続するとは限らない。言い換えれば、〈我々の死者〉の〈我々の〉に執着している限りは、人は、過去に目を向けているだけで、真に〈未来〉に目を向けてはいないのだ。〈未来〉は、〈我々の〉という限定を逸脱する余剰のうちにこそ宿るだろう。

第二の脱構築

第二に、〈我々の死者〉は、現在の我々に呼びかけ、我々を行為へと駆り立てはするが、同時に我々を束縛もしている。〈未来の他者〉に応ずるためには、〈我々の死者〉の束縛から自由になる必要がある。〈我々の死者〉は、〈未来の他者〉への対峙を阻む障害ともなりうる。現在の〈我々〉は、前者の拘束を自由へと反転させることを通じて、〈未来の他者〉に応ずることになる。

〈我々の死者〉が、過剰な束縛となって自由な対応を阻むということは、それほど理解が難しいことではあるまい。だが〈死者〉の拘束力を侮ってはならない。先に示唆したように、〈死者〉は、ときに生者よりも強く人を規定する。〈我々の〉というかたちで固有化されている〈死者〉を裏切ることは、しばしばきわめて難しく、苦痛を伴う。ナショナリズムに基づくものではないが、このことを印象的に示す事実を紹介しておこう。

スターリニズムがいかに抑圧的な体制であったか、そのもとでの経済的な繁栄がいかにごまかしであったのか、今日ではよく知られている。だが、かつて、一九二〇年代、三〇年代に、西側の進歩的な知識人の多くが、ソ連の現実を賛美した。この事実に関して、普通は、当時の西側の知識人たちは社会主義諸国の現実をよく見ていなかったからだ、と説明される。だが、この説明はまちがっている。なぜなら、バーナード・ショーなど、当時の著名な知識人たちの多くは、実際に社会主義諸国を訪問した後に、それを賞賛しているからである。彼らは、自分たちが暮らしている西側諸国よりもはるかに、ソ連の人々の現実が貧しく惨めであることを目の当たりにしていたはずだ。[*13] それならば、どうして、彼らは、西側の進歩的知識人は誤ったのか。

彼らは、〈死者〉を失望させることができなかったからだ。この場合の〈死者〉とは、社会主義の実現のために闘ってきた何世代もの労働者たちである。一九世紀以来、労働者たちは、社会主義を実現せんとして闘いながら、志半ばにして倒れてきた。ようやく、ロシアで革命が成功し、社会主義体制が実現したのだ。ソヴィエト連邦というかたちをとった当時の社会主義体制は、過去の労働者たちの夢の、触知可能な現実化である。もし、この現実をダメなものとして否定し、批判すれば、過去の労働者たちの死は、無駄な死であったことになってしまう。彼ら〈死者〉の活動を意味のあったものとして救出するためには、つまり彼らを裏切らないためには、現に目の前にある社会主義体制をすばらしいものとして賞賛しないわけにはいかない。[*14]

このように、〈我々の死者〉は、〈我々〉の現在の判断を規定し、方向づける。このことが、〈我々〉のさらなる行動を阻む足枷(あしかせ)にもなるのだ。真に必要な行動をとるためには、たとえば真の社会主義のために断固たる行動に出るためには、〈我々の死者〉の夢――〈死者〉が抱いていると想定された願望――から解放される必要があった。

整理すれば、〈我々の死者〉を〈未来の他者〉へとつなぐためには、二重に脱構築する必要がある。〈我々の〉という特殊化を普遍性へと開き、死者の束縛を解放へと反転させなくてはならない。そうするとこうも言えるのだ。〈我々の死者〉を回復すると同時に、〈我々の死者〉から逃れるという逆説を実現する必要があるということは、普遍的な課題である。日本人にだけ課せられた難問ではない。我々はむしろ、日本に固有な困難を克服することを通じて、普遍的な課題への解決を提起することができる。

『鬼滅の刃』は示している

さて、この章の冒頭に提起した問いに戻ろう。『鬼滅の刃』は、どうして大正時代に設定されているのか。この設定は、日本人が、〈我々の死者〉を熱烈に欲していることを示しているのではないか。もちろん、この欲望を作者も、読者も意識してはいない。だが、無意識のうちには、そのような欲望があって、大正時代という設定を呼び寄せているのではないか。〈我々の死者〉とは、この場合、マンガに登場する人物たち全員、とりわけ竈門炭治郎をはじめとする鬼殺隊だ。彼らは、このマンガを読んでいる日本人にとって、〈我々の死者〉となる。

もう少し繊細に言い換えれば、〈我々の死者〉は二重になっている。マンガの展開の中で、多くの殉死者が出る。たとえば、『劇場版「鬼滅の刃」無限列車編』では、最後に、鬼殺隊の「柱」の一人、煉獄杏寿郎が、猗窩座なる鬼との闘いの果てに死ぬ。このとき杏寿郎が、生き延び闘いを継続する炭治郎たちにとって〈我々の死者〉となる。炭治郎は、死んだ杏寿郎の思いを受けて、死をも恐れぬ闘いに挑む。そして、最終的には、鬼殺隊のすべてが、現在の日本人読者にとって——もちろん虚構の——〈我々の死者〉となる。

マンガの最終巻の最終話を読むと、この解釈が妥当であることがよくわかる。その前までで、鬼殺隊と鬼との闘いは、終わっている。炭治郎が、鬼の始祖にしてリーダーたる鬼舞辻無惨を倒し、鬼殺隊が鬼を全滅させ、平和が訪れている。そして、最終話は、いきなり現代の話になる。それは、炭治郎をはじめとするそれまでの登場人物の子孫の時代である。炭治郎の玄孫やあるいは彼の同期だった我妻善逸の曾孫が、今どきの高校生として登場する。彼らは、真偽のほどが定かならぬ伝承や偽書かもしれないテクストを通じて、自分たちの先祖が、鬼を退治し、そのおかげで自分たちの平和があるのだ、ということを知らされ、勇気づけられている。要するに、公式の歴史の中には書かれてはいないが、〈我々の死者〉がいた、というわけである。

大正時代であることには、強い必然性がある。そのあとの時代、つまり昭和初期は、もうあの戦争へとまっすぐ突入していく時代である。いくら完全なフィクションだとはいえ、その時代に、〈我々の死者〉とも見なすべき隠れた英雄がいた、という話には説得力が宿らない。「知られざる英雄によって私たちは守られていた」という話を作ろうにも、表の世界、私たちに見えている世界は、すでにちっとも平和ではないからだ。今から振り返ればわかっていることだが、昭和の最初から、およそ二〇年後には悲惨な敗北で終わる戦争への歩みは始まっているのだから、とうてい、誰かによって保護され、平和や繁栄を享受していたとは言い難い。そう考えると、大正時代は、〈我々の死者〉が生きて活躍していた時代として設定しうる最後の時代なのだ。

極端な虚構においてさえも、戦前の昭和には、〈我々の死者〉が存在する場所がない。〈我々の死者〉を想像力によって構築しても、大正時代から戦後に、いきなりワープするように飛んでしまう。このような歴史の空隙（くうげき）がある以上、結局、現代の日本人にとっては、〈我々の死者〉はほんとうには回復されていない。『鬼滅の刃』は、日本人がほんとうは〈我々の死者〉を熱烈に求めていることの証拠である。そして同時に、このマンガは、その回復がいかに困難なことかも示しているのだ。

＊1　https://www.pewresearch.org/global/2021/09/14/in-response-to-climate-change-citizens-inadvanced-economies-are-willing-to-alter-how-they-live-and-work/

＊2 https://www.nippon-foundation.or.jp/app/uploads/2019/11/wha_pro_eig_97.pdf

＊3 ちなみに、日本人の若者が選んだ課題の一位は「貧困をなくす」で、五割近く（四七・八％）が解決したいと答えている（複数回答）。他の「先進国」でも、「貧困をなくす」はかなり上位である。実は、欧米では、この社会課題の解決に意欲をもつ者の率は、必ずしも一位ではないが——気候変動や海洋汚染問題など環境系の社会課題を選ぶ者の方が多い傾向があるが——、日本の若者で「貧困をなくす」を解決したいと答える者の比率よりも高い。つまり、それらの国の五割を超える一八歳が、「貧困をなくす」を解決したい社会課題に選んでいる。総じて、日本の若者は、自分が解決したい社会課題が少ない傾向がある。日本社会が、アメリカやイギリス、ドイツよりも順調で、解決すべき課題が少ないからか。多分、そうではない。その証拠は、＊8で述べていることである。それと併せて考えてみると、日本の若者は、日本が将来良くなるとは思っていない——むしろ悪くなると予想している——にもかかわらず、課題を解決して社会を自らの手で良くしようという意欲には乏しい、ということがわかる。

＊4 斎藤幸平『人新世の「資本論」』集英社新書、二〇二〇年。

＊5 大澤真幸『新世紀のコミュニズムへ——資本主義の内からの脱出』NHK出版新書、二〇二一年。

＊6 浄水器のレンタルを主たる業務としているウォータースタンド株式会社が、G7の構成国の市民を対象として、二〇一九年に実施した環境意識についての国際比較の調査がある（https://prtimes.jp/main/html/rd/p/000000001.000045090.html）。この調査は、ペットボトルなどの

「マイクロプラスチック問題」への意識や取り組みを主題としている。この調査によると、「脱プラスチック問題」を意識してはいないと回答した者の比率が、会社レベルでも個人レベルでも、G7諸国の中で日本が最も高い。日本の会社は、六八%が「脱プラスチック問題」を意識しておらず、それは、他の六カ国の平均より二〇ポイント近く高い。日本人の五三%が「脱プラスチック問題」を意識してはいない。この値が五〇%を超えたのは、G7の中で日本だけである。あるいは、「ペットボトル製品を制約なく使っている会社」の比率は、日本では七三%。他の六カ国では、その比率は、だいたい三〇~四〇%なので、いわば「世界標準」の二倍の数値ということになる。半数近い(四八%)日本の会社が、脱プラスチック問題にまったく取り組んでいないと答えているのだが、この値は、他の六カ国の平均の四倍近い値である。ここで私が述べておきたいことは、日本人は、マイクロプラスチック問題という一事に興味がないのではなく、おそらく〈未来の他者〉に興味がない、ということである。その派生的な結果として、日本人は、マイクロプラスチックの問題に対しても積極的に関心をもったり、取り組んだりすることができなくなっているのである。

*7 カント「世界公民的見地における一般史の構想」『啓蒙とは何か 他四篇』篠田英雄訳、岩波文庫、一九七四年、二九頁。

*8 先に参照した、一八歳の若者を対象とする日本財団の意識調査(*2参照)の中で、日本人にとって最も衝撃的な結果は、自分の国の将来の展望についての若者たちの意識である。この調査は、アジアと欧米の九カ国で実施されているのだが、「自分の国の将来についてどう思って

いますか」という質問に対する回答のパターンは、大きく二つの類型と、それらに対する二つの例外があることがわかる。一つの類型は、インドなどの「途上国型」で、だいたい七〇％が「良くなる」と答え、一〇％が「悪くなる」と答える。つまり圧倒的に、自国は将来もっと良くなると思っている若者が多い。もう一つの類型が、欧米を中心とする「先進国型」で、「良くなる」と「悪くなる」の数がほぼ拮抗しているか、もしくは後者の方が多いが前者の二倍には達しない（前者二五％、後者三〇～四〇％）。この二パターンについては、数字の解釈は簡単だ。これらに対する第一の例外が中国で、自国が「将来良くなる」と思っている者の率が、一〇〇％に迫っており（厳密には九六・二％）、「悪くなる」と思っている者の率は、限りなくゼロに近い（〇・一％）。逆の方向での例外が、日本である。良くなると思っている一八歳の比率が、一〇％未満と、ずば抜けて少ない。そして、悪くなると回答した者の比率は、約四〇％と、先進国型の平均よりかなり多い。要するに、日本の若者は顕著に、自国の将来に対して悲観的である。ここで「あなたの国の将来」として、一八歳の若者は、主として自分が生きている間の近い未来を想定しているだろうから、この調査結果は、〈未来の他者〉への意識を直接に反映するものではない。が、「悪くなる」というネガティヴな回答に関しては、〈未来の他者〉への態度と無関係ではあるまい。自分が生きている間の近い将来に対して、閉塞感を抱いている者が、自分が死んだ後の世代についてポジティヴな想像力を働かせることは難しいだろうから。

＊9 ミラノヴィッチの言う「エレファント・カーブ」は、このことを示している。ブランコ・ミラ

*10 ノヴィッチ『大不平等』立木勝訳、みすず書房、二〇一七年。

*11 ベネディクト・アンダーソン『定本 想像の共同体』白石隆・白石さや訳、書籍工房早山、二〇〇七年、三二頁。

*12 同書、四七〜四八頁。

物語にはさらなる工夫がある。おしんの初恋相手である高倉浩太(のちに並木浩太)という人物が出てきて、ほぼ全編を通じて、非常に重要な役割を果たす。物語上の役割は、明らかに、夫の田倉竜三よりはるかに重い。特に、物語の最後の最後、おしんが築き上げたスーパーのチェーンの倒産の危機を救ったのも、浩太である(倒産の原因となりそうだった不採算店を大手資本に買い取らせるための仲介の労をとる)。浩太は明らかにおしんに好意をもっているので、おしんは彼と結婚した方がずっと自然だったように見える。実際、テレビドラマの最終回で、浩太は、もし二人が結婚していたらどうだっただろうか、といったようなことを語り、さらに、並んで歩く二人は、道行く女性に夫婦と勘違いされる。が、二人が結婚するという物語にはされなかった。二人が結ばれることにしていたら、それこそ本文に述べたような「違う話」になり、主題がずれてしまうからだ。この浩太という人物こそ、左翼の活動家で、農地解放や戦争反対を訴えていたのだ。すると、次のような構図がはっきりと見えてくる。義にかなった人物が戦争期を挟んでずっと上昇軌道の人生を歩むことには、矛盾がある、と本文で論じた。戦前・戦中に上昇の道を歩むためには、戦争に協力的でなくてはならないが、義人ならば、戦争に積極的に反対したはずではないか。この矛盾した役割を、おしんのまわりの二人の男がそれぞれ担うことで、おしんが免罪される仕組みになっているのである。夫は戦争に協力して自殺し、「恋人」のように親しい男は、反戦の活動に参加して、そちらの方の苦労を背負ってくれる（浩太は特高警察の拷問で脚に障害を負う）。視聴者は、「いくら戦争に違和感をもっていると言ったって、夫と一緒に軍を支える仕事をしていたではないか」という微妙な違和感をおしんに対してもちうるが、夫よりも大事と言ってもいいような男性が、軍や政府に抵抗する運動に参加し、大きな犠牲を払ってくれているおかげで、この違和感はかなり中和される。

*13 実際、アンドレ・ジッドは、ソ連を訪問したことで、そこが理想的な平等社会とはほど遠いディストピアであるとわかり、ソ連の現実を批判する『ソヴィエト旅行記』を書いた。ジッドの例は、現場を見れば、ソ連の失敗ははっきりと見て取ることが可能だった、ということを示している。にもかかわらず、ジッドのようなケースは稀だった。付け加えておけば、ジッドの『旅行記』は出版されるや、左翼から猛烈な批判を受けた。

*14 大澤真幸『ナショナリズムの由来』講談社、二〇〇七年、七六一～七六二頁。この解釈は、スラヴォイ・ジジェクによるものである。

第2章　トカトントンは鳴り続く

1　トカトントンが聞こえてくる

小林正樹の違和感

現代の日本人は、〈我々の死者〉をもたない。いつから、そうなったのか。昭和二〇（一九四五）年八月、アジア・太平洋戦争が終わった。日本の降伏というかたちで、である。このとき、日本人は、〈我々の死者〉を失った。このことが、どのような代償を伴ったのか。この喪失が、日本人の精神にどのような影響をもたらしたのか。このことを正確に診断しておく必要がある。

敗戦後、一年を経たときに、映画監督の小林正樹（まさき）がもった違和感を記すところから始めよう。小林は、終戦を宮古島で迎えた。そのため彼は、アメリカ軍に拘束され、沖縄で労働に従事させられた。必死の思いで復員してきたのは、敗戦から一年後だった。

一年間の空白の後に日本の本土を見たとき、まず小林は、その激変ぶりにポジティヴな意味で驚いている。後に反戦的で人道主義的な映画（『人間の條件』『東京裁判』等）を撮ることになるこの人物の目には、敗戦から一年後にすでに始まっている日本の民主化は歓迎すべきことに映る。が、しかし、同時に彼は、何かが根本的におかしいとも感じる。敗戦後、半世紀近く経ったときのインタビューで、小林は、こう語っている。「日本は戦前とまったく変わっていないように見えた。あの時、人々はこぞって軍部を支持したのだ。こうした日本人の意識の変化が必ずしも悪いといっているのではない。ただその変化がどのように起きたのかが問題なのだ」[*1]。

このとき小林正樹が抱いたと思われる違和感を、よりはっきりと、さらに誇張したかたちで表現してみせた作家がいる。太宰治だ。太宰に、「トカトントン」という奇妙なタイトルをもつ短編小説がある。昭和二二（一九四七）年一月発行の『群像』で発表された。

これは、ある小説家――太宰本人と重ね合わせることができる――に宛てられた愛読者の男の手紙と、それに対するその小説家の返事から成る小説である。小説家の返事は、数行のごく短いものなので、この短編小説の本体はほとんど、二六歳の若い男の手紙である。彼は、小林正樹がもったのと同質の違和感を、周囲の他人に対してではなく、自分自身に対して感じている。それは、彼の身体の上に、ある症状として現れる。

「トカトントン」

手紙は、「拝啓」に続いて、いきなり「一つだけ教えて下さい。困っているのです」と始まる。困っていることとは何か。この若者によれば、多分、その問題は、自分ひとりの問題ではなく、他にも同じようなことで悩んでいる人がいる。ことの発端は、あの日、つまり昭和二〇年八月一五日の正午のすぐあとにある。
兵隊として召集されていた彼は、他の兵士とともに兵舎の前に整列させられ、玉音放送を聞かされた。放送が終わると、若い中尉が壇上に上がり、日本はポツダム宣言を受諾し、降参をしたが、「われわれ軍人は、あく迄も抗戦をつづけ、最後には皆ひとり残らず自決して、以て大君におわびを申し上げる」と言い、自分はそのつもりだから、皆も同じ覚悟をしていろ、と続けた。その中尉は、ぽたぽたと涙を落とし、その場は、非常に厳粛な雰囲気に包まれた。手紙の主の若者も、このとき「死のうと思いました。死ぬのが本当だ、と思いました」。
だが、その直後のことである。

ああ、その時です。背後の兵舎のほうから、誰やら金槌で釘を打つ音が、幽かに、トカトントンと聞えました。それを聞いたとたんに、眼から鱗が落ちるとはあんな時の感じを言うのでしょうか、悲壮も厳粛も一瞬のうちに消え、私は憑きものから離れたように、きょろりとなり、なんともどうにも白々しい気持で、夏の真昼の砂原を眺め見渡し、私には如何なる感慨も、何も一つも有りませんでした。

その後、彼は荷物を整理して故郷に帰ったのだが、それから困ったことが起きるようになった。彼を「ミリタリズムの幻影」から解放したあの金槌の音「トカトントン」が、頻繁に聞こえるようになったのだ。特に、何事かに感動し、奮い立って活動しようとすると、どこからともなく、金槌の音が聞こえてくる。すると、「はかない、ばからしい」気持ちになってしまう。

たとえば文学青年のこの男は、自分で小説を書いてみた。何日も執筆に打ち込み、今夜でいよいよ完成だというところにまで漕ぎ着けた。銭湯で、どんなふうに結末を書こうかなどと興奮して思いをめぐらしていると、突如あの音が聞こえてきて、情熱の「浪」が引いてしまった。

次は、田舎の郵便局員としての仕事である（彼は伯父が局長をしている郵便局で働いていた）。日々の業務に打ち込むことこそ「最も高尚な精神生活」ではないか、と思うようになった。ちょうど円貨の切り換えのときでもあり、彼はまったく休むことなく、ほとんど半狂乱のごとく獅子奮迅の勢いで働いた。

そしていよいよ切り換え騒動も今日で終わりという朝になり、受付の窓口に座って、「労働は神聖なり」などと思いながら、仕事の始まりを待っているとき、突然、またトカトントンが聞こえてきた。そうなると、彼のやる気がまったく失せ、自分の部屋にもどって、寝てしまった。以降、仕事への熱意は、完全に消えた。それから、彼は、郵便局に一週間に一度くらいの割で貯金にくる若い旅館の女中に恋をした。海岸で二人だけで会うことになり、キスをしたいという気持ちが昂じてきた瞬間、今度は、ほんとうに近くの納屋からトカトントンと釘を打つ音が聞こえてきて、恋の熱は一挙に冷めてしまった。
たまたま遭遇した、労働者たちの生々溌剌(せいせいはつらつ)とした楽しそうなデモに感激したときも、さらには、いかなる報酬も得られるはずのない田舎の駅伝の虚無への情熱に打たれたときでさえも、感情がピークに達しようとした瞬間にトカトントンが聞こえてきて、すべてがばからしく感じられてくる。若者は、小説家に向けた手紙で、このように窮状を訴える。

「いったい、あの音はなんでしょう」

そして、彼は問う。「いったい、あの音はなんでしょう」と。近頃は、トカトントンはますます頻繁になり、新聞を広げて新憲法を一条一条熟読しようとしても、「あなたの小説を読もうとしても」……あの音が聞こえてきて、あらゆる情熱が消える。若者は、小説家に「この音からのがれるには、どうしたらいいのでしょう」と質問し、「どうか、ご返事を下さい」と懇願する。さらに付け加えれば、若者によれば、手紙を書いているうちにも、トカトントンがさかんに聞こえてきているようだ。
トカトントンとは何か。なぜそんな音が聞こえてくるのか。その理由を見出すのは、それほど難しくはない。実は太宰治のこの小説に関しては、文芸評論家の加藤典洋(のりひろ)が広く議論を巻き起こしたあの「敗戦後論」を発表した翌年(一九九六年)に書いた「戦後後論」で、深い解釈を提起している。[*2] 私は、加藤の論を引き継ぐ必要を感じ、今、こうして太宰の小説を紹介している。「トカトントン」は、この若者の手紙のあと、まだ少しだけ続く。作家の短い返事が書かれているのだ。作家は、若者の質問に、正面からは答えていない。「あまり同情してはいない」と冷たく突き放しつつ、マタイ福音書を引きながら、教訓めいたことを書く。加藤典洋は、この短編を高く評価してはいるが、この結末に大きく躓(つまず)いた、と論じている。作家は、若者に、「しゃんとせい」という一喝のような倫理を垂れるのではなく、若者の訴えを受け止めるべきではないか、と。私もそう思う。そしてほんとうの太宰治は、作中の小説家と違い、この若者の悩みに共感している、と考える。[*3]

加藤典洋は、この小説を、「文学とは何か」という深く一般的な問いの中に置き直して、J・D・サリンジャーの『ライ麦畑でつかまえて』などと比較しながら、解釈し、批評している。が、我々の考察にとっては、議論の射程を、文学一般にまで広げない方がよい。

2 仮に戦争に批判的であったとしても

なぜその音は聞こえるのか

トカトントンとは何か。どうして、この間の抜けたような音から、若者は逃れられなくなったのか（彼の説明では、同じ症状は他の多くの人にも現れていた）。

彼は、戦前・戦中にあって、日本の戦争行為を主導した観念や思想、つまりミリタリズムなり、皇国思想なりを正しいものであると信じていた。が、戦争が終わると、たちどころに魔法が解けたように、それらが誤ったものであると判明し、彼自身そのことを理解した。玉音放送の直後に聞いたトカトントンは、正しきものから誤ったものへの急転直下の転換に伴う嘲笑である。崇高なもの、最高に善きもの、究極の正しさを体現するもの、そう見えていたものが、卑俗なもの、つまらぬものへと変貌したのだ。「トカトントン」という間の抜けた音は、超越的な価値から凡俗な無価値への転落に対応している。かんたんに言えば、このトンカチの音が表現しているのは、「なーんちゃって」である。

自決云々と叫んだところで、今や、そんなことはできるはずがない。崇高なもののためにならば、人はときには、命を捧げることができる。無論、苦しい選択かもしれないが、不可能なことではない。しかし、自らが生命を捧げようとしているそれが実はつまらぬものであると判明してしまえば、そのために自殺することなど不可能だ。

では、戦後の活動、戦争とは関係のないさまざまなことについても、それらに情熱を傾けようとすると、そのたびに、トカトントンが聞こえてくるのはどうしてなのか。彼は、今や、戦後の新しい価値観のもとで、つまり「正しい」観念や思想に基づいて、意味あることをなそうとしている。ならば、問題なく、それに打ち込むことができるのではないか。だが、そうはいかない。

かつても――つまり戦前・戦中も――彼としては正しいこと、崇高なことに関与したつもりだった。にもかかわらず、事後から――終戦のあとから――振り返れば、それは誤っていたのだ。そうだとすれば、今正しいと信じていること、今意味あると確信していることについても、結局、あとから振り返ったときに、誤ったこと、つまらぬことであると判明しないと、どうして言えるのか。そんな転換は絶対に起こらないという保証はどこにもない。いや、むしろ、一度、崇高な大義だと思っていたことがこの上なくつまらぬものへと転換するのを経験してしまった以上は、今この瞬間にどれほど価値あること、すばらしいこと、正しいことと見えていることでも、ほんとうはくだらないものであったという真実が後に明らかになる、と積極的に疑わないわけにはいかない。

本気でかかわろうとしているすべての価値あることがらに、「なーんちゃって」と将来言われる可能性がつきまとっているのだ。今はすばらしく魅力的なものに見えているが、それの真実は、くだらないもの、無価値なものかもしれない――いやそうであるに違いない。この転落の可能性が先取りされて、「トカトントン」という効果音として聞こえてくるのである。

「この点を明確にして置きたい」

この小説の現実の著者である太宰治自身も、先に述べたように、作中の小説家の冷淡な返事とは裏腹に、若者に共感している。だが、次のように言うことはできないのか。太宰本人は、日本の戦争を駆動したイデオロギー、つまり軍国主義にも皇国思想にも懐疑的であり、むしろそれらに反対していた。そうであるとすれば、太宰本人は、敗戦によって、それほど白ける必要はないのではあるまいか。彼は、それらが初めから誤っていると思っていたのだから。そういう者は、トカトントンを聞くことはないのではあるまいか。トカトントンは、正しさから誤りへの、価値あるものから無価値なものへの転落を告げる音なのだから。

だが、そのように言って免罪することはできない……と太宰自身も考えていたに違いない。たとえば、失敗に終わったり、誤りであったことが明らかになったあとで、「私はほんとうは反対だった」と言う人に対して、我々は、虚しい言い訳、偽りの自己正当化を感じる。反対だったならば、どうして、そのときに――事前に――反対を表明し、動きを阻止しなかったのか。それができなかったならば、あなたもまた大勢を容認していた、と見なさなくてはならない。太宰自身も、戦前の軍国主義と自身との関係について、そのように考えていただろう。

太宰は、敗戦の八カ月後、つまり昭和二一（一九四六）年四月発行の『文化展望』で発表されたエッセイ「十五年間」――日中戦争の頃からの東京での戦時中の生活と終戦直後の思いを綴(つづ)ったエッセイ――で、次のように書いている。自分は、「誰かのように、『余はもともと戦争を欲せざりき。余は日本軍閥の敵なりき。余は自由主義者なり』などと、戦争がすんだら急に、東条の悪口を言い、戦争責任云々と騒ぎまわるような新型の便乗主義を発揮するつもりはない」。そして、

> 私は戦争中に、東条に呆(あき)れ、ヒトラアを軽蔑し、それを皆に言いふらしていた。けれどもまた私はこの戦争に於いて、大いに日本に味方しようと思った。私など味方になっても、まるでちっともお役にも何も立たなかったと思うが、しかし、日本に味方するつもりでいた。この点を明確にして置きたい。

　結局、政府の政策や戦争に違和感をもっていたとしても、戦争へと向かう日本社会の変化を命がけで止めようとはせず、逆に、戦争する日本に自身を同一化していたとするならば、つまりいくぶんかのアイロニカルな距離を保っていたとしてもなお日本という共同性を引き受けていたとするならば、日本の軍国主義や皇国思想を支持していたことになるのだ。自分は軍部に反対だったなどという主張は、欺瞞(ぎまん)に満ちた言い訳でしかない。

「トカトントン」の主人公であるあの若者にしても、日本の軍国主義に心酔していたわけでは

ないかもしれない。が、彼は、終戦時に兵隊になっていたくらいだから、当然のことながら、日本の戦争を容認・肯定していたと言わねばなるまい。

自分は戦争を許容していた

戦後、優れた戦記文学を書いた大岡昇平は、自身の戦争体験を語った『戦争』の中で、昭和一九（一九四四）年七月に、第一四軍の補充要員（暗号手）として門司港からフィリピンへと向けて出発するときの思いを次のように述べる。[*4]「どうせ殺される命なら、どうして戦争をやめさせることにそれをかけられなかったかという反省が頭をかすめた」のだが、しかし、「この軍隊を自分が許容しているんだから、その前提に立っていうのでなければならない」。トカトントンの主人公についても、同じことが言える。

フィリピン行きの輸送船に乗せられたとき大岡は、自分は確実に死ぬことになるだろう、と自覚した。それまで彼は軍部に批判的な思いを抱きつつ、戦争についての知識を蓄積することに自己満足を覚えていたが、死を覚悟したとき、そうした批判的なスタンスには何の意味もないと悟った。したがって、（戦後になって）戦争や軍隊について（批判的に）書くにあたっては、自分がそれらを許容していた、という感慨を前提として保持していなくてはならない。これが、大岡昇平が自覚したことだろう。たとえば『レイテ戦記』はそのような前提で書かれている。

映画監督の伊丹万作（いたみまんさく）は、敗戦からちょうど一年後に発表されたエッセイ「戦争責任者の問題」で次のように書いている。多くの人が「今度の戦争でだまされていた」と語っており、そうであるとすれば、ずいぶんたくさんの人がだましたはずなのに、自分の知るかぎり「おれはだました」と言った人間は一人もいない、と。「だまされていた」は、もちろん、自分が戦争を推進するイデオロギーを——今から振り返れば誤っていたイデオロギーを——容認していたことに対する言い訳である。伊丹は、こう書く。「『だまされていた』といって平気でいられる国民なら、おそらく今後も何度でもだまされるだろう」。のみならず、今正しいと信じていることでも、あとから振り返れば、「だまされていた」と言いたくなるような誤りであるかもしれない（「現在でもすでに別のうそによってだまされ始めているにちがいない」）。「だまされていた」ということで免罪されるならば、人はいくらでも、安易にさまざまな思想や理念にコミットするだろう。そして何度も「だまされるだろう」。

だから、「トカトントン」を聞く者は、「だまされていた」とあとで言う欺瞞を拒否した誠実な人である。欺瞞を排して自己を直視するなら、間抜けなトンカチの音にふさわしい喜劇的な転落がそこにはある。「私はだまされていた」「私はほんとうは反対だった」などとあとから言えば、トカトントンに対して耳を塞ぐことができるが——つまり己のぶざまな姿を見ずにすむが——客観的には、この音が鳴っていることには変わりがない。

3　戦後の追い風の中で書く／書かない

無頼派の中で太宰治だけが……

太宰は、日本近代文学の常識的な分類では、無頼派という枠に入れられている。無頼派とは、太平洋戦争後、それまでの近代文学全般に対して強い批判意識を抱いた一群の作家たちを指している。だが、加藤典洋は、無頼派の中で太宰だけが重要な一点において違っていた、というきわめて鋭い読みを提起している。[*5] どう違うのか。

太宰だけが、戦後の追い風を利用して書いたものがない。戦前・戦中には思いつかず、戦後の時代思潮の中で初めて感じるようになった文章、あるいは、戦前・戦中には書くことができず、戦後だから書けたと見なされる文章、こうしたものが、太宰にはまったくない。具体的に説明しないとわかりにくいだろう。加藤の「戦後後論」に従って解説しよう。

たとえば、太宰と同じように、無頼派の一人とされている石川淳に、「無尽燈」という小説がある。これは、作者石川がそのまま投影されていると思われる主人公と、彼が友人から奪い取った恋人の弓子の物語だ。同棲していた二人が入籍してほどなくして、太平洋戦争が始まった。昭和一六（一九四一）年一二月八日の朝に起きたことを、ラジオは、「国難ここに見る」と叫んで伝えている。しかし、主人公の男は、国難と言われているものを国難と感ずることができない。彼にとっては、それはどうでもよいことであり、むしろ、個人的なこと、たとえば自分の病のことの方がずっと重要な関心事である。あるいは彼は、時局とは無縁の、唐代の交易商人の物語を書くべく、準備をしたりする。

だが、弓子の方は主人公とは異なっていた。あの一二月八日を境に、二人の間に懸隔（けんかく）が生ずる。弓子は、それまではおざなりにしていた隣組の仕事や火消の稽古などに、モンペをはいてさかんに取り組むようになる。いつの間にか、部屋の片隅には神棚が作られており、弓子は「勝ち抜く」というコトバをよく口にするようになった。また、ハイクの会と称して、頻繁に夜、出かけるようになった。要するに、主人公とは対照的に、弓子は、日本の戦争を熱心に応援しているのだ。

戦況が進んだ頃、主人公は、夜、家に帰ろうとして、弓子とおぼしき女が若い男と寄り添って歩いているのを後ろから見てしまう。その後、弓子はしばしば外出し、ときには夜帰らぬときもある。また、彼は、偶然会った弓子の先夫から、弓子が自分と別れようとしているらしい、ということを聞かされる。

その日、主人公が家に帰ると、弓子が書き物をしていた。主人公が「なにをしている」と問うと、弓子は急にそれを手で隠し、「ハイク」と答える。主人公が激情にかられて、その紙をひったくると、そこには紙いっぱいに、鉛筆で力をこめて、「必勝、必勝、必勝……」と書かれていた。彼は、その紙を引き裂き、弓子をはり倒してしまう。こうして、二人の間の何かが壊れてしまった……。

凄まじい話である。戦争は、まったく私的な関係さえも、つまり夫婦関係をも完全な崩壊へと導いていったのだ。

「戦後の追い風」を拒否する

ところで、この小説はいつ書かれたのか。昭和二一（一九四六）年五月、つまり戦争が終わった翌年である。すると、我々はこう思わずにはいられない。戦争が終わる前にこの小説が書かれていたら、もっとすばらしかったのに、と。

この小説に嘘は書かれてはいないだろう。石川淳は、ほんとうに、戦中にあって、日本の戦争を、愚劣な行いだと見ていたに違いない。彼は、そんな戦争を熱心に応援し、必勝を祈願する周囲の者たちを冷眼視していただろう。だから、書かれていることは、真実――「事実」という意味ではなく文学的な意味で真実――である。石川淳は、敗戦をはさんで、戦争に対する考えを変えたわけではない。

だが、彼は、戦中にはこの小説を書かなかった。書けなかったのだ。どうして？　言論弾圧のためか。おそらくそうではない。少なくとも、それだけが理由ではない。書かなかった、書くことができなかった内的な理由があるはずだ。

　それは、逆方向から問えば、すぐにわかる。どうして、この小説は、戦後に書けたのか。理由はかんたんである。戦後、我々日本人は、戦争が、そして戦争へと日本人を導いた思想が根本的に誤っていた、ということを知ったからだ。

　が、ここは慎重にならなければならない。石川自身は、敗戦を俟（ま）たずとも、戦中にあってすでに、小説に書かれているように、日本の戦争がうさんくさいものであることをわかっていた。敗戦で突然、戦争そのものがまちがっていた、と思ったわけではない。しかし、戦中には書けなかったのだ。

　この戦争には何か根本的におかしな部分があると思いつつも、戦争をはっきりと否定的に描くような文章を書くだけの自信、それを書くだけの勇気が、この作家にはなかった、と言わざるをえない。その足りなかった自信、不十分だった勇気の分だけ、石川も、消極的に戦争を許容していたのである。[*6]

　その不足分が、戦後、補われ、ついに一つの作品が成り立ったのだ。どうして補われたのか。終戦を境にして突然、戦争が愚行であったこと、それを導いた理念や大義がくだらないものであったことが、疑いようもないものとして、明らかになったからである。これが、戦後の追い風の中で書いた、ということの意味である。戦後において初めて開けた視野を前提にしなければ、これを書きうるまでの自信は得られなかったのだ。

すると、我々は――石川淳には酷だが――「無尽燈」にも、トカトントンという音が小さく随伴している、と言わざるをえない。加藤典洋が、太宰は戦後の追い風を利用して書かなかった、と言うのは、太宰の戦後の小説には、このような印象を与えるものが一つもない、ということである。太宰だって、戦後、「戦中に、戦争をばかにしていた」ということを示す小説を書けたはずだ。だが、彼は書かなかった。戦争に関して、戦中に書けなかったことは、戦後に至ってもあえて「書かない」ことを選択したのである。もし、戦後という好条件を追い風にして書いたら、作家は、自分自身の内的な思索を通じて獲得したもの以上のものを、利用したことになる。太宰は、それをよしとしなかった。

4 〈戦争の死者〉の呼びかけを承けて

アッツ玉砕の一人

我々は今、何のために、太宰治の短編をここで読んでいるのか。前章でこう論じてきた。日本人は、〈我々の死者〉を失った、と。現代の日本人である〈我々〉が、〈我々の死者〉とのつながりを失ったのは、もちろん、アジア・太平洋戦争の敗戦のときである。ここまで、太宰を読んできたのは、〈我々の死者〉を喪失したことの帰結、そのことが〈我々〉の精神にもたらす困難を見定めるためである。

まず確認しておこう。太宰治は、はっきりと、〈戦争の死者〉にコミットしようとしていた。すなわち、〈戦争の死者〉の呼びかけに応じ、彼らと連帯しようとしていた。そのことが端的に表現されている作品に、「散華（さんげ）」という短編がある。*7 これは数名の若者たちとの交流を描いた小説で、書かれたのは戦中の昭和一九（一九四四）年だ。登場する若者の中で最も重要なのが——というよりほとんどその一人のために小説が書かれていると言ってよいほど中心的なのが——、三田君という岩手県花巻町（現・花巻市）出身の若者である。

昭和一五年の晩秋、三田君は、友人の戸石君と一緒に太宰宅を訪ねてきた。二人とも仙台の二高の出身で、そのとき東京帝大の国文科の学生だった。美男で話し上手な戸石君と違って、三田君は、生まじめな性格で、太宰は彼にやや苦手意識をもつ。三田君も、太宰のそうした意識を察して、やがて、葉書は寄越すもののあまり訪ねてこなくなる。

三田君は、山岸外史（がいし）のもとで、詩の勉強を始めたらしい。太宰が、「三田君は、どうです」と山岸に尋ねたところ、「いちばんいいかも知れない」という意外な答えが返ってきた。太宰は、自分には詩才を見出す目はないのかもしれない、と思う。その後、三田君は大学を卒業し、すぐに出征する。出征先の三田君からは、四通の葉書が届いた。
最初の二通は、ごく普通程度の好印象を与えただけだった。しかし、四通目の葉書の文面に、太宰は衝撃を受け、激しく動かされる。昭和一九年五月末に、太宰は、アッツ島玉砕のニュースをラジオで聴くが、このときには、三田君とのつながりには思い至らなかった。三田君がどこで戦っているか、まったく知らなかったからである。その三カ月後、太宰は、新聞に掲載されていた「アッツ玉砕の二千有余柱の神々のお名前」の中に「三田循司」の名を見つけた。もともと、特に目的もなく列記された玉砕者のリストを追っていたわけだが、三田君の名前を見出すと、自分ははじめから三田君の姓名を捜していたのではないか、という気分になった。「やっぱり、そうか」と。三田君の葉書は、アッツ島から送られてきたものだった。

「死んで下さい」

三田君からの最後の葉書には、何が書いてあったのか。その文面は以下の通り。

御元気ですか。
遠い空から御伺いします。
無事、任地に着きました。

大いなる文学のために、
死んで下さい。
自分も死にます、
この戦争のために。

太宰は、自分に向けて、ためらいもなく自然に「死んで下さい」と言ってくれたことに、深く感動する。「あの『死んで下さい』というお便りに接して、胸の障子が一斉にからりと取り払われ、一陣の涼風が颯っと吹き抜ける感じがした」。「死んで下さい」に力があるのは、もちろん、三田君自身に死ぬ覚悟があるからだ。太宰はこう書いている。三田君は、

自己のために死ぬのではない。崇高な献身の覚悟である〔傍点、引用者〕。そのような厳粛な決意を持っている人は、ややこしい理窟などは言わぬものだ。激した言い方などはしないものだ。つねに、このように明るく、単純な言い方をするものだ。そうして底に、ただならぬ厳正の決意を感じさせる文章を書くものだ。繰り返し繰り返し読んでいるうちに、私にはこの三田君の短いお便りが実に最高の詩のような気さえして来たのである。

三田君が戦争のために死ぬ。これを承けて、太宰が文学のために死ぬ。これが――太宰の視点から捉えて――〈我々の死者〉がいる状態である。

5　事前の視点／事後の視点

〈戦争の死者〉と無関係に……？

だが、敗戦とともに、困難がやってくる。その困難が、トカトントンという音に集約されて表現されている。

三田君は死んだ。死んだ三田君からバトンを受け取るようなかたちで、生きている私も、何かXのために――たとえば文学のために――生命を捧げよう、と思っていた。しかし、今や――敗戦後の今では――、それは不可能だ。なぜなら、三田君がそれのために生命を捧げた対象は、誤った理念、偽りの大義であったことが、明らかになったからだ。つまり、三田君の死を、崇高な献身と解釈することが、もはやできない。昭和二〇年八月一五日の玉音放送のあとの最初のトカトントンは、そのことを告げている。

それならば、〈戦争の死者〉とは無関係に、戦後に得た視点から見て価値あるものを追求すればよいのではないか。だが、それはできない。そのことの不可能性こそが、短編「トカトントン」の主題である。もう一度、思い起こしておこう。作家に助けを求めて手紙を書いてきたあの若者は、戦後、何をやっても——たとえば文学をやっても、日常の業務に集中しようとしても、あるいは恋をしても、トカトントンが聞こえてきて、白けた気分になるのだった。

どうしてなのか。崇高なこと、正しき行為だとかつて（戦前に）信じていたことが、あとになって、くだらないこと、誤った行為であることが判明した。この転換が、敗戦という出来事だった。そうであるとすれば、今まさに、価値あるものと信じていることも、事後の——未来の——視点のもとで無価値であった、誤っていたと判明するかもしれない。このような感覚から逃れられない。トカトントンの幻聴がどうしても消えないのは、このためである。

事前の視点と事後の視点

ならば、どうしたら、トカトントンから解放されるのか。まず、二つの視点があることに注目しよう。事前の視点aと事後の視点p。無論、ここで「事前／事後」を分かつ出来事Eは日本の敗戦だが、このように一般化して概念化しておく。

事前の視点aにおいては、あることXが善きこと、正しきこと、崇高なことなどとして、要するに最高の価値をもつものとして現れている。しかし、事後の視点pからは、Xの真実が見える。事前の視点aにとっては価値ある大義であったXは悪であり、誤りであり、卑俗なもの

図2-1

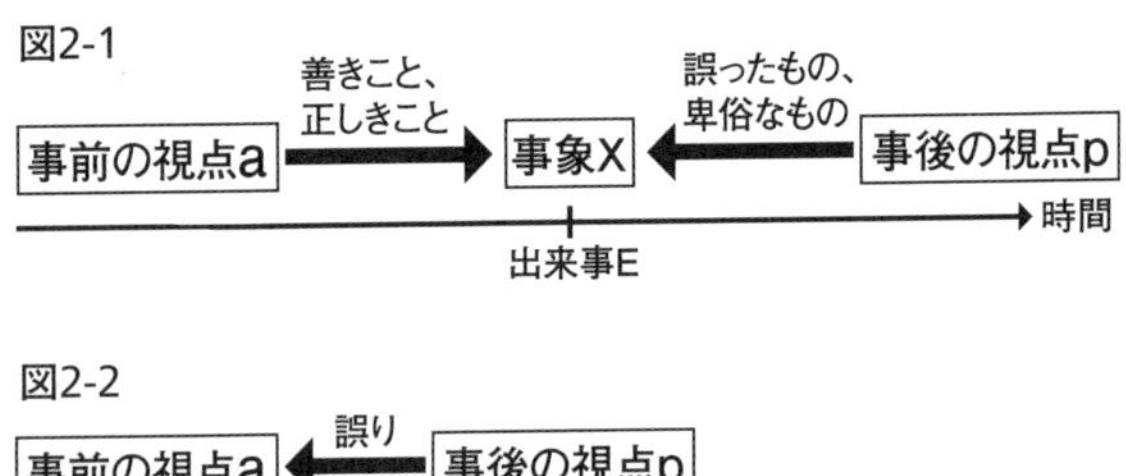

図2-2

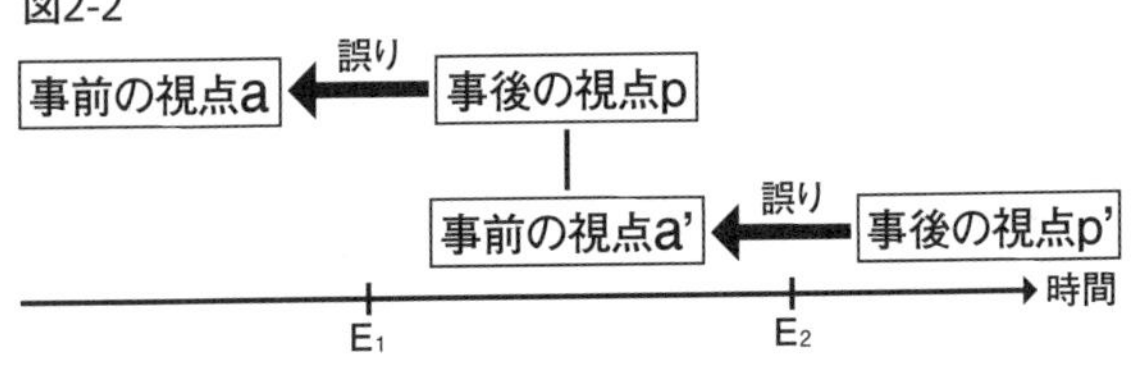

であり、結局のところポジティヴな価値をもってはいないのだ、と（図2－1）。

トカトントンを追い払うことができるのは、事前の視点aから事後の視点pへの移行が可能である、ということについての確証があるときである。実際に出来事Eが起きてから、たとえば敗戦してしまってから、やっと事後の視点pが獲得されるのでは遅い。出来事Eが起きてしまえば、事前の視点aは単純に失われてしまっている。事前の視点aに根をもっている、その段階で、事後の視点pに対して現れること——視点aにとっての大義Xの真実——を洞察できるということ、そうしたことへの確証がなくては、トカトントンという間抜けな音は消えることはない。

事後の視点pであるとされたものもまた、実のところは、もうひとつの事前の視点a'に過ぎず、真の事後の視点p'のもとで、結局、誤りであったと（後に）判明するかもしれない（図2－2）、という懐疑を克服することができないからである。この懐疑が、「トカトントン」という幻聴となる。自分は事前の視点aから事後の視点pへの飛躍を（今や）なしうる、という確信をもつ者のみが、「トカトントン」を克服するだろう。

事前の視点aを担っているのが〈戦争の死者〉である。事後の視点pは〈戦後の我々〉に属している。それゆえ、「事前の視点a→事後の視点p」という移行は、「〈戦争の死者〉→〈戦後の我々〉」というつながりに対応している。〈戦後の我々〉が、あらためて価値あるものに身を捧げることができるとすれば、それは、〈戦争の死者〉の思いを承けた場合に限られる、つまり〈戦争の死者〉を〈我々の死者〉として受け入れることができた場合に限られる。先ほどこのように述べたが、その理由は以上の論理にある。

ここで、この章の冒頭で引いた映画監督の小林正樹の違和感を思い起こしておこう。彼は、こう言っていた。日本人の変化が悪いといっているわけではない、と。つまり、事後の視点pを獲得したことが悪いわけではない。問題は、その変化がどのように起きたか、である。つまり事後の視点pへの飛躍が、事前の視点aからの連続的な移行として成し遂げられているか、が重要である。

馬の背中に狐が乗っている

しかし、そんなことは不可能だ。現に、日本人には、それができなかったのだ。戦後の視点

pを通じて得られる「正しさ」の観念は、戦前・戦中の地平の中に視点が内属している間は、獲得することができなかった。もちろん、日本の戦前の体制や軍国主義に疑問をもち、それらに批判的だった人はたくさんいた（太宰もその一人だ）。しかし、述べてきたように、そんなことは「言い訳」にはならない。つまり、事前の視点aに足場を置きながら、事後の視点pをも――戦中においてすでに――獲得していた、と見なすわけにはいかない。

　結局、日本人は、事後の視点pを、自らの事前の視点aからの連続として内的に獲得したのではなく、敗戦というショックを通じて外部から与えられた。ア・プリオリに正しい視点として、である。比喩的に次のように言ってもよいだろう。「敗戦」という出来事Eを基準とした、日本人の事前の視点aと事後の視点pの間には、前者から後者への移行を媒介するルートが存在せず、日本人は、あたかもいきなりワープするように、前者から後者に移動したのだ。別の言い方をすれば、この事後の視点pの正当性は、事前の視点aを――弁証法的に――否定・克服することを前提として導かれるものではない。逆に、事後の視点pの無条件の正当性を前提にして、事前の視点aが、誤ったこととして斥けられる。

　事後の視点pを外部から、ア・プリオリに正当なものとして与えられ、それを受容するということは、〈戦争の死者〉を見棄てるということである。つまり、〈現在の我々〉と〈戦争の死者〉との間の連続性を否認することだ。〈我々〉は、〈戦争の死者〉たちが求めていたこと、望んでいたことを継承しない。いや、〈戦争の死者〉は、〈我々〉というアイデンティティのうちに包摂されない他者とされる。こうして、〈我々日本人〉は、〈我々の死者〉を失った。

事前の視点aと事後の視点pとの間の本質的な違いは、本来は、後者には、自らの存立の前提として、〈a→p〉という飛躍が組み込まれていることにある。しかし、もし事後の視点pがそのような前提を除去して直接的な無謬性として与えられているならば——日本の「戦後の視点」は実際そのようなものとして与えられたわけだが——、事前の視点aと事後の視点pは、先の**図2－2**（八六頁参照）に示したように、同じ形式で存立している。

だから慧眼の人は、戦前と戦後の間の不変に気づく。冒頭に引いたインタビューで、小林正樹も「日本は戦前とまったく変わっていないように見えた」と語っていた。太宰も、戦後、一年に満たない昭和二一（一九四六）年六月発行の『新文芸』に発表された文章「苦悩の年鑑」の冒頭で、次のように書いている。

> 時代は少しも変らないと思う。一種の、あほらしい感じである。こんなのを、馬の背中に狐が乗ってるみたいと言うのではなかろうか。

狐（事後の視点p）は、地面に立っている事前の視点aの位置から一挙にワープして、馬の背中に乗っている。同じ文章の中で、太宰は、子供の頃に学んだ大正デモクラシーの思想を思い起こしながら、次のように語っている。

いまから三十年ちかく前に、日本の本州の北端の寒村の一童児にまで浸潤(しんじゅん)していた思想と、いまのこの昭和二十一年の新聞雑誌に於いて称えられている「新思想」と、あまり違っていないのではないかと思われる。一種のあほらしい感じ、とはこれを言うのである。

大正デモクラシーから発展した思想が、昭和の戦争をささえるイデオロギーとなり、そして、今や(戦争が終わって)、誤っていた、と判明した。それならば、今(戦後)、人々を虜(とりこ)にしている「新思想」もまた、あるとき、突然、誤りへと反転するかもしれない。トカトントン。

6　トカトントンは鳴り続いてきた

未帰還の友は呼びかけない

だから、太宰自身は、戦争の死者のもとに留まると決めた……そのように見える。今引用した「苦悩の年鑑」と同時に、太宰は「未帰還の友に」という短編小説を発表している。この小説は、出征したままいまだに帰ってこない若い友について語っている。ここで「君」と呼び掛けられているその友、鶴田君は、加藤典洋の推測では、「散華」で三田君とともに太宰宅を訪問していた戸石君と同一人物である。

戸石君が帰還すれば、必ず太宰のところに知らせの手紙があるはずだが、何の音沙汰もない。小説は、こう閉じられる。

君たち全部が元気で帰還しないうちは、僕は酒を飲んでも、まるで酔えない気持である。自分だけ生き残って、酒を飲んでいたって、ばからしい。ひょっとしたら、僕はもう、酒をよす事になるかも知れぬ。

これは、〈戦争の死者〉を自分はいつまでも待っている、つまり、自分は彼らを決して見捨てない、という決意の表明である。

だが、戸石君の思い出からは、かつて――およそ二年前――三田君から託されたような、大義（たとえば文学）のために「死んで下さい」という感動的なメッセージ、人を奮い立たせるメッセージは得られない。「未帰還の友に」でおもに語られているのは、戸石君（＝鶴田君）が出征の直前に太宰に語った、彼と（太宰たちが頻繁に通っていた）おでん屋の娘との間の恋の、半分滑稽で、半分悲しい顚末である。恋を終わらせなくてはならなかった理由は、戸石君の出征にあるので、これもまた戦争がもたらした小さな悲劇のひとつだが、いずれにせよ、戦後を生きる者たちに指針を与えるようなメッセージが、そこにあるわけではない。〈戦争の死者〉たちの死は、今や、崇高な献身とは見なしえないことがはっきりしてしまったからだ。彼らは、義のない戦争のために死んでいった。

戦後の通奏低音としてのトカトントン

そうであるとすれば、我々は、戦後の日本人は、太宰のように〈戦争の死者〉のもとに留まるわけにはいかない。事前の視点aへの執着を絶たなくてはならない。その視点aは誤ったものを正義や善として見ている、このことがはっきりしてしまったからだ。戦後の日本人としては、〈戦争の死者〉を見捨てて、戦後の視点pへと、一足飛びに乗り移り、それと同一化するほかない。そして、日本人は実際にそうした。

が、すると、トカトントンという間抜けな音が発生することになる。言い換えれば、新たに与えられた大義は、どんなに正しく優れたものであると言われようとも、「なーんちゃって」という、その価値を相対化する非公式のコメントを、脇に随伴させている。大義への情熱は、ただちに白けてしまうだろう。

ここで死活的に重要なことは、今、ここに述べている困難は、決して、戦争を経験した世代だけに固有の問題ではない、ということだ。太宰のような戦争を経験した世代の困難は、以降の日本人にそのまま継承され、現在にまで至っている。戦後の最初の世代が、トカトントンという音とともに受け入れた価値や理念は、たとえば憲法に具体化されるかたちで、戦後の日本社会の構造や日本人の態度を規定する基本的な方針としてずっと継続している。それらの価値や理念は、「トカトントン」付きで継承されている。

要するに、〈戦争の死者〉を見捨てて以降ずっと――〈我々の死者〉がその時点で断絶して以降――、日本人の共同体においては、トカトントンが鳴り響いているのだ。現代の日本人がそれに気づかないのは、トカトントンが常態的な通奏低音となってしまったからである。そして、トカトントンを聞き取り、何としてでもそれを払拭しなくてはならないと見なす、太宰に手紙を書いてきたあの青年の誠実さを、現代の日本人はもはや失ってしまったからである。

だが、現代の日本人が、〈未来の他者〉に対して著しく感度が鈍い原因が、〈我々の死者〉の喪失にあるとすれば、やはり、トカトントンを克服し、それを消し去らなくてはならない。だが、どうしたらよいのか。〈戦争の死者〉を見捨てたことがもたらした症状が、トカトントンである。しかし、もちろん、〈戦争の死者〉が属していた地平に留まり続けることもできない。〈戦争の死者〉とともにいることも、そこから離れることもどちらもダメだとすると、どうすべきなのか。

＊1　ピーター・グリリによる小林正樹へのインタビューから。*Positions*, 2.2, 1994 Fall.

＊2　「敗戦後論」（一九九五年）と「戦後後論」（九六年）、そして「語り口の問題」（九七年）という三つの評論は、九七年に、『敗戦後論』（講談社）としてまとめて刊行された。「敗戦後論」が大きな論争を巻き起こしたのは、主として単行本が出てからである。

＊3　実際に、太宰治が、「トカトントン」の若者のモデルとされている人物に宛てた返信は、小説の作家の返信のように冷淡なものではなく——加藤典洋が文面を引きつつ（脚注で）述べているように——相手への共感を示すものだ。

＊4　大岡昇平『戦争』岩波現代文庫、二〇〇七年。

＊5　加藤典洋「戦後後論」『敗戦後論』講談社、一九九七年。

＊6　言論弾圧は、自分の内的な確信の弱さを糊塗する言い訳として利用される。我々も、しばしばこの手を使う。ほんとうは自分がやりたくないのだが、「決まりだから仕方がないのです」などと言って。

＊7　加藤典洋も、もちろん、この短編小説に注目している。

第3章　二段階の哀悼——その意義と限界

1　二段階の哀悼

まず、加藤典洋が、一九九五年に――ここまでの我々の考察を導いてきた太宰治論よりも前に――『敗戦後論』で提案していたやり方の意義について論じておきたい。[*1] 先に結論を述べておこう。加藤の提案を実行することは絶対的に必要なことだ。しかし、それはまだ真の解決ではない。

「敗戦後論」の孤立

加藤が提案したことのポイント、論争を引き起こしたポイントは、戦争の死者への哀悼に関する次のような手順であった。敗戦後、日本人は、昭和初期からのアジアへの侵略――満洲国の建設を含むアジアへの侵略――が誤ったことだったと理解した。そうであるとすれば、日本人は、この侵略戦争の犠牲になった、アジアの二〇〇〇万の死者に哀悼を捧げ、彼らに謝罪しなくてはならない。が、こうした哀悼と謝罪が実質をもつためには、その前に、日本の三〇〇万の戦争の死者を哀悼しなくてはならない。この順番、つまりまず日本の三〇〇万の死者に、ついでアジアの二〇〇〇万の死者に哀悼を捧げるというこの順番については、絶対に譲ることができない、というのが加藤の最も強調したことであった。

この加藤の提案に対しては、右派と左派の両方から激しい批判があった。加藤は、まさに四面楚歌の気持ちだっただろう。右からの攻撃は、加藤にとっては、最初から予想していたもの、織り込み済みのことだったに違いない。右派は、つまり靖国神社に祀(まつ)られた死者を「英霊」として崇拝するタイプの人たちは、アジアの二〇〇〇万の死者への謝罪という部分が気に入らなかった。これは、戦後の思想や体制に対する、よくある反発だ。

加藤が予想していなかったのは、自分がそれのために貢献したと思っていた左派からの拒絶と批判であった。左派が拒否反応を示した部分は、加藤の主張の右派が反応した箇所とは逆の部分、つまり日本の死者への哀悼を先においたことにあった。左派の主張は、アジアの犠牲者への追悼を優先させるべきだ、というものだ。誤った戦争に加担した日本の死者への追悼は、あとにおくべきだ、いやむしろすべきではない、はっきりと拒否すべきだ、ということになるだろう。

加藤典洋が、自国の戦死者をまず哀悼してから、アジアの犠牲者を哀悼する、という順序に強く拘(こだわ)ったのはどうしてなのか。当時の論争状況に対する私の評価を先に述べておく。加藤の主張は、どの批判者よりも深く、かつ理にかなったものであった。右派からの反発は論外だが、一見、正しそうな左派の批判も、加藤が見ていた深さまで、その視線は届いてはいない。

さて、もう一度問おう。どうして、自国の死者を哀悼してから、侵略戦争の犠牲になった死者たちを哀悼しなくてはならないのか。本書のここまでの議論を追ってきた者には、この問いに答えることは、それほど難しくはないはずだ。最初に日本の戦死者を追悼しておくのは、馬の背中に乗った狐の立場で、アジアの犠牲者を哀悼するようなことにならないためである。トカトントンが鳴っている中で、アジアの犠牲者に謝罪する、などということにならないようにするためである。アジアの犠牲者に謝罪する〈我々日本人〉は、最初から事後の視点pを有する主体として謝罪してはならない。謝罪するのは、事前の視点aを有する主体である。〈a→p〉という視点の飛躍が起きるとすれば、それは謝罪の過程において、であるはずだ。この飛躍がすでに終わったことを前提にした謝罪は、謝罪の自己否定、無効化された謝罪である。

多くの日本人は、こう思っているに違いない。「私たちは、もう何度も、アジアの人々に謝罪してきた。植民地化した朝鮮半島や台湾の人々にも謝罪してきた」と。だが、アジアの人々には、それは「謝罪」として受け取られていないようだ。どうして、我々の謝罪は無効だったのか、という問題意識が、加藤にはあった。謝罪がむなしく空を切るようなものになってきたのは、我々が馬の背中に乗った狐だったからだ。これが加藤の示唆していることである。

まず「日本の死者」を、ついで「アジアの犠牲者」を

どうして、哀悼の対象が、まず日本の死者に、その後、アジアの犠牲者に、となるべきなのか、あらためて説明しておこう。加藤自身が明示的に語っていない部分を補いながら。

戦争で死んでいった日本の死者を最初に哀悼するとしたら、それは、靖国神社に祀られた死者を英霊として讃えるのと同じことではないか。左派は、このような判断から、加藤の提案を拒絶した。しかし、加藤がいう「哀悼」と、右派がやってきた英霊への感謝や崇拝とはまったく別のものである。両者は正反対といってよいほど異なっている。その点を正しく理解しなくてはならない。

こう考えてみるとよい。〈我々日本人〉が、アジアの二〇〇〇万の死者に、深い謝罪の意味を込めて、哀悼を捧げるとして、このとき、〈我々〉とは誰なのか。たとえば、何百万ものユダヤ人がナチスの犠牲になった。〈我々〉は、ナチスの虐殺行為は究極の悪であり、収容所で死んでいったユダヤ人は純粋な犠牲者であって、ほんのわずかな罪もないことを知っている。しかし、〈我々〉はユダヤ人に謝罪することはできない。そんなことをしたら、とてつもない冒瀆に感じられるだろう。〈我々〉はナチスではないからだ。勝手に謝罪などできない。

〈我々日本人〉の「アジアの死者」への態度は、同じ〈我々〉の「ユダヤ人の死者」への態度と同じであってよいだろうか。どちらも理不尽な悪の犠牲者なのだが、〈我々〉は、二つの死者に、同じように対することができるだろうか。できない。そうしてはならない、はずだ。ユダヤ人の犠牲に関しては、〈我々〉は第三者だが、アジアの死者は、〈我々〉の問題だからだ。アジアの死者への哀悼を表明するときには、ユダヤ人の死者に哀悼を捧げるときと違って、深い謝罪の意味を込めなくてはならない。

ということは、アジアの死者への哀悼・謝罪に先立って、まず、〈我々〉は、アジアへの侵略を含む戦争の遂行者の末裔であること、その継承者であることを引き受けなくてはならない。たとえ自分が戦後の生まれで、戦争にまったく参加していなくても、謝罪し、哀悼する主体の「資格」として、戦争の遂行者との連続性を引き受けないわけにはいかない。アジアの死者への哀悼に先立って示される、日本の死者に対する哀悼の表明は、この資格を得るために必要な手順である。

これまで、日本人は、そして日本の左翼は、アジアの犠牲者について云々するとき、まるで、その犠牲をつくった侵略者と自分が関係がないかのような態度をとってきた（これが、狐がいきなり馬の背中に乗っている状況だ）。しかし、それは欺瞞的であり、それでは謝罪を含む哀悼には絶対になりえない。だから、加藤は、日本の三〇〇万の死者への哀悼を先行させなくてはならない、と主張したのである。

謝罪＝哀悼

だが、この日本の死者への哀悼には、独特の屈折が孕まれている。これは、靖国神社で死者を英霊として祀るのとは、まったく違うのだ。この部分を伝えるのに、加藤は苦戦し、多くの誤解を生んでしまった。ここでは、加藤がほんとうに言いたかったこと（と私が解釈すること）を、少し踏み込んで説明しておこう。

今述べたように、戦争を遂行し死んでいった日本人を哀悼するということは、その日本人と現在の〈我々〉との間の連続性を引き受けることだ。しかし、その連続性は断絶の形式をもった連続性である。と結論を述べると、あまりに抽象的で理解し難いだろうが、こういうことだ。日本の死者への哀悼にも、やはり一種の謝罪の意味が込められているのである。こちらの哀悼も謝罪だ。何を謝るのか。死者たちを裏切ることになることを、である。どういうことか。

まず、〈我々〉が現在こうして生きていられるのは、日本の死者のおかげで（も）ある、という事実は否定できない。しかし、同時に、〈我々〉は、彼らがそれのために命を捧げた大義を、彼らが必死で守ろうとした思想や体制を、もはや継承するわけにはいかない。敗戦によって得た理念（平和や戦争放棄の思想）に基づき、アジアの死者に哀悼を捧げるならば、その前提として、〈我々日本人〉はまずそう決断しなければならない。それはしかし、現在の〈我々〉が、（日本の）死者を裏切ることであろう。彼らは〈我々〉のことを思い、崇高な大義のために死んだつもりなのに、〈我々〉はその死は無意味だった、と言わざるをえないのだから。これほど死者に申し訳ないことはない。だから、〈我々〉は謝罪の意味を込めて日本の死者を哀悼するのだ。

日本の死者への深い謝罪の意識によって、〈我々〉はその死者たちとの連続と断絶の両方を引き受ける。というか、もう少し厳密に言えば、次のようになる。死者に対して心底から申し訳なさを感じ、謝罪しているとき、まずは〈我々〉と死者との間の連続性が打ち立てられている。〈我々〉は、彼らがそのために戦った彼らの末裔だからこそ、申し訳なさを感じるのだから。だが、なぜここで〈我々〉が謝罪という形式で哀悼の意を表明するかというと、このあとに続く第二の謝罪——アジアの死者への哀悼——が成功したときには、つまりその第二の謝罪が受け入れられ（アジアの犠牲者たちから）赦(ゆる)しが得られたときには、このときにこそほんとうに、現在の日本人である〈我々〉と日本の死者たちとの関係が切断されることになるからだ。したがって、日本の死者への哀悼とは、成功したときには、あなた方への裏切りになってしまうことをこれからなさなくてはならない、ということを報告し、謝罪するためのものである。

このように「敗戦後論」で提案された二段階の哀悼は、まずは〈我々〉が何者であるかを自覚し、そこから出発しなくてはならない、という加藤の基本的な考え方に基づいている。アジアの死者への哀悼において示される倫理（平和の思想）に到達するためには、敗戦したときの〈我々〉の位置から始めなくてはならない。だが、このやり方には、特殊なひねりが含まれている。この一連の行為が完遂し、成功したときには、〈我々〉のアイデンティティは、変容してしまうからだ。戦争を遂行した死者たちとの連続（よごれ）から、彼らとの断絶（ねじれ）

へと、である。敗戦の原点にあった矛盾を引き受け、かつ克服する方法はこれだ、というのが「敗戦後論」のメッセージだった。

解決したのか

すると、ここには、困難を克服するひとつの方法が示唆されているようにも思える。現代の日本人にとっての困難は何だったのか。現代の日本人の、〈未来の他者〉への無関心をもたらしていた原因は何だったのか。それは、現代の日本人が、敗戦の時点で、〈我々の死者〉を失ったことにあった。

加藤の提案したやり方は、日本の戦争の死者を〈我々の死者〉として回復することを含んでいる。〈我々〉は、〈我々の死者〉を取り戻す。それだけではない。同時に果たさなくてはならないもうひとつのこと、まったく矛盾しているように見えるもうひとつのことをも実現する。すなわち、〈我々〉は、同じ〈死者〉からの断絶をも果たすことになる。

こうして、〈我々〉は、困難を克服するだろう……。と、結論したいところだが、残念ながら、限界がある。「敗戦後論」の提案によって、〈我々〉は、確かに前進する。半分は前進するだろう。が、半分まで、である。この二段階の哀悼によって、〈我々〉は、自国の戦争の〈死者〉との間の「連続性」を確保することはできる。が、今度は、実は、「断絶」の方に、原理的な困難を抱えることになるのだ。どうしてか。その点を説明するためには、加藤が提案している哀悼のやり方が含意していることを、いったん哲学的に純化し、一般化して把握する必要がある。この点については次節で、説明しよう。

いずれにせよ、現代の日本人が直面している困難は、戦争の犠牲者に対して正しく謝罪するというその一点だけを実現すれば一挙に解消する、というわけでもない。

2 赦されえないがゆえに……

赦しえないものを赦す

日本人は、かつてアジアを侵略し、多数の犠牲者を出した。その過程で、満洲国のような傀儡国家も建設した。満洲国を承認した国は、当然のことながら、ごく少数であった。これは、現在、ロシアがウクライナに対してやっていることと同じであり、日本人は、戦後、アジアに対する侵略戦争が誤ったことであったと考えるようになった。となれば、日本人は、侵略戦争の犠牲になった二〇〇〇万のアジアの死者に哀悼を捧げつつ、この犠牲者ならびに侵略された国々の人民に謝罪しなくてはならない。

しかし、この哀悼と謝罪がほんものになるためには、その前に、日本人は自国の死者を哀悼しなくてはならない。かつて加藤典洋はこのように主張したのであった。前節で私は、加藤のこの論は、彼に対する右派からの批判に対してだけではなく、左派からの批判に対しても優位にある、と論じた。左派の標準的な批判よりも加藤の論が優れているのは、加藤が提案した哀悼の順序が、現代の日本人が、自国の戦争の死者を〈我々の死者〉として引き受けることをも含意しているからである。アジアの犠牲者に謝罪するためには、戦争の遂行者がまずは〈我々の死者〉でなくてはならない。日本の戦争の死者を〈我々の〉ものとして主体化するために、最初に、その死者たちを哀悼する必要があるのだ。この哀悼は、彼らを英霊として奉るものではない。それはむしろ、一種の謝罪でもある。彼らを裏切ること――厳密には裏切ろうとしていること――に関する謝罪である。もし引き続きなされる、アジアの犠牲者への謝罪が成功したときには、現在の〈我々〉は、日本の戦争の死者を裏切ったことになるからだ。

加藤が提案した謝罪と哀悼の哲学的な意味を、ジャック・デリダが述べていたことを応用することで導くことができる。加藤自身は、この問題を考えるにあたって、デリダの哲学を考慮に入れたとは思えないが、デリダの議論をここで活用すると、加藤の提案の普遍的な意味が――そして後述するように実はその限界も――明らかになる。デリダは、「謝罪」ではなく、その対であるところの「赦し」について述べている。[*2]

デリダによれば、もし真に赦すべきものがあるとすれば、それは、赦しえないもののみである。これは、意外性に富んだデリダの哲学が常識に最も接近する局面だと言ってよい。しかし、デリダ的な逆説は、ここでも維持されている。ひとつの倫理的な行為として赦しが可能であるとすれば、それは、ただ赦しえないものを、赦すことが不可能なものを赦すという形式においてのみだ、というわけだから。ここでも、いつものデリダの論のように、不可能性だけが可能性の条件である。

犯罪が起きると、人は、犯罪者の改悛(かいしゅん)の言葉を聞きたがる。ほんとうに赦しを乞うならば、つまり心底から謝罪するならば、赦しを与えよう、というわけだ。だが、これは、罪人が罪を認め、罪人以上のものに変質したあとならば赦す、ということである。罪人が変質するとは、悪人だったものが善人になるということだ。だから、「赦しを乞うなら赦そう」ということは、あなたが善人ならば赦す、と言っていることに等しい。しかし、善人を赦すのは当たり前ではないだろうか。というより、善人への赦しは、もはや、赦しではない。それは、善人は善人である、という事実認識でしかなく、倫理的な行為を構成する、決断の契機、飛躍の契機はそこにはないからだ[*3]。

したがって、デリダが言うように、真の赦しは赦しえないものへの赦しのみだ、ということになる。「絶対に赦しえない」という認識を保ったまま、それを赦すこと。それだけが真の赦したりうる。

悪から善への化学変化はどこで生ずるのか

デリダの議論は、次のような認識に基づいている。普通、人は、悪人が善人へと化学変化を起こした後に、その善人を赦そうとするわけだが、いま述べたようにそれは赦しとはなりえない。悪人に対して与えられたときにのみ、赦しは赦したりうる。ならば、悪人から善人への変化はどこで起きているのか。赦しという行為の中で――赦されることを媒介にして――生ずる。悪人は、赦す者との関係から独立して勝手に善人に変化したりはしない。別の言い方をすれば、デリダは、赦すという言語行為に、破格の発話内効力――悪人の善人への化学変化の触媒となりうる――が内在していると見なしている。普通の言語行為は、相手の行為の選択に影響を与えることができるが、赦しは、相手の基本的な性質を変えてしまう、と。

さて、赦しと謝罪とは全体としてひとつのセットになっている。つまり、赦しと相補的なことが、謝罪の側でも成り立たなくてはならない。悪人だけを赦すことができる、と述べた。これと表裏一体のことが、謝罪の側でも言えなくてはならない。次のように、である。

人は、善人になったから謝罪するわけではない（善人がなぜ謝罪する必要があるのか）。謝罪するのは、自分が（まだ）悪人だからである。悪人だけが、謝罪し、赦しを乞うことができる。私は、絶対に赦しえないこと、赦すことが不可能なことをした。だから――謝罪しても意味がない、ではなく――、逆に謝罪するのだ。私は赦されえないという事実認識は、謝罪という私の倫理的行為にとって絶対的な必要条件である。

謝罪にあたっては、〈我々〉は、自らが、まったき悪人であることを引き受けなくてはならない。つまり、〈我々〉は、犯罪的なことを行った日本の戦争の死者を、〈我々の死者〉として受け入れることから始めなくてはならない。こうして、まずは日本の戦争の死者を追悼し、ついでアジアの犠牲者に哀悼を捧げる、という順序が必要になる。

アジアの犠牲者や侵略相手国に対して謝罪するとき、〈我々〉は悪人である。悪から善への転換は、謝罪が成功したとき、つまり謝罪が差し向けられている相手である〈他者〉に受け入れられ、赦されたときに果たされる。謝罪の成功に先立って、善人を僭称（せんしょう）してはならない。

前章で述べたこととの対応を確認しておこう。事前の視点aからは、ある事象X——たとえば日本のアジアへの侵略を正統化していた大義——は、崇高なものと見える。しかし、事後の視点pからは、それはくだらないこと、誤ったことに見える（八六頁、図2-1参照）。前者aから後者pへの飛躍がいかにして果たされるかが、問題だった。その飛躍は、謝罪が——〈他者〉の赦しによって——成功したときに実現する。


救済者がいないとすれば……

さて、加藤の提案をこのように一般化して捉えておくと、その限界も明らかになる。それは、ごく単純に、そして意地悪に次のように問えばよい。もし赦されなかったらどうすればよいのか？　もし〈他者〉（アジアの犠牲者）が、〈我々〉（戦争の死者を主体化した戦後の日本人）を赦さないとしたら、どうだろうか？　赦されることが、あらかじめ保証されているわけではない。〈我々〉がどんなに誠心誠意、改悛の情を示し、赦しを乞おうとも、〈他者〉が赦すとは限らない。このとき、〈我々〉は悪人のままだ、ということになる。

赦しを得られなかったとき、赦しを乞う側はどうしてもこう思いがちだ。これだけ謝っているのに、どうして赦してくれないんだ。これだけまじめに謝っている私を赦さない方が悪い。……実際、現在の日本人は、かつて植民地化した韓国や侵略した中国に対して、こうした感情を抱いている。自分たちはこれまでたくさん謝ってきたし、償いもしてきた。それなのに、赦さない相手の方が、心が狭くまちがっているのではないか、と。

だが、戦争の死者を〈我々の死者〉として引き受けた者であるならば、つまり加藤が提案したような態度で追悼の思いをもつ主体であるならば、こんなふうには考えることはあるまい。それは自分自身が、赦されえない罪を犯した者と同一化することを含意しているからだ。そうだとすれば、相手が〈我々〉を赦さなかったことに、どうして不満など言えようか。相手は、赦せないことを赦せない、とトートロジカル（同語反復的）に言っているだけ、なのだから。こちらがデリダ的に振る舞ったとしても、相手もデリダとは限らない。デリダが〈赦し〉に内在していると認定したあの破格の発話内効力が、謝罪の方にも内在していると期待すべきではない。するると、次のように主張したくなる。相手が赦してくれようが、赦してくれまいが、大事なのは、私が改悛の感情をもち、誠意をもって謝ったことなのだ、と。つまり、相手が実際に赦さなかったとしても、謝罪した時点で、本質的には赦されたも同じ状態になった、と考えるのだ。なぜなら、謝罪を決意した時点で、私はすでに善人になっているのだから……というわけである。戦後の日本の「リベラル」や、「良心的な知識人」は、事実、このような感覚をもってきたと言えるだろう。

しかし、ここまで撤退してしまえば、振り出しに戻ったようなものであって、加藤の提案の意味はなくなる。デリダを媒介にしながら加藤の主張の含意を解説しておいたように、重要なポイントは、〈謝罪—赦し〉という関係から独立して、悪人が善人に自動的に変容することはない、ということにあったのだから。赦されてもいないのに、「心から謝る自分はすでに善人だ」と主張するわけにはいかない。

ヘーゲルの『精神現象学』の「良心」を論じた箇所に、「悪は、自らの周囲のいたるところに悪を見るまなざしである」という有名な命題がある。自分は、善人で麗しい心をもっていると自認する者は、自己の周囲に悪をたくさん見出す。しかし、そのような悪に気づきそれを告発する自分の善性に自己満足する良心こそが、悪そのものである、というのがヘーゲルの洞察である。一生懸命謝罪する自分は、相手からの赦しを待たずにすでに善人であるとする態度の、最悪の形態がここにはある。

　無論、加藤の議論は、こうした「良心」の自己陶酔をこそ批判するものであって、こうした態度を肯定しない。とすれば、まず自国の戦争の死者を追悼し、ついでアジアの犠牲者の追悼を、という手順は、無意識のうちに、犠牲者たちからの赦しが得られるはずだということを前提にしていることになるだろう。だが、もともと、（今から見れば）誤った戦争にコミットした死者のレベルから、その誤りを自覚している〈戦後の我々〉への根拠なき飛躍、ワープのような移行こそが問題であった。しかし、飛躍が、〈他者〉の根拠なき赦しに委ねられているのだとすれば、問題は少しも解決してはいない。問題の在処（ありか）をずらしただけである。

　アジアの犠牲者たち、日本が植民地化し、また侵略したアジアの諸国民に謝罪し、償いをすること。そのことが犠牲者たちに認められ、いつか赦されるとの希望をもちながら。ここまでは、一〇〇%、支持できる。

　そのための前提として、現在の〈我々〉は、日本の戦争の死者を〈我々の死者〉として引き受けなくてはならないという加藤の主張。これもまた、まったく正しい。が、もし、謝罪の相手である〈他者〉からの赦しが得られるだろうという希望が叶えられるはずだということが先取りされ、前提とされているならば、それは、最終的な救済が予定されている歴史の目的論である。最後に、〈我々〉を悪人から善人へと引き上げてくれる救済者が待っている、と前提にしているに等しい。だが、こうした予定調和的な目的論を根拠なく受け入れることはできない。

そうするとどうなるのか。加藤が述べた追悼の手順は、戦争の死者と現在の〈我々〉との連続性を認め、〈我々の死者〉を取り戻す操作になっている。が、今述べたような歴史の目的論を前提にできないとすると、今度は、〈我々〉は、戦争の死者の水準に取り残されることになる。〈我々〉には、〈死者〉との連続と〈死者〉からの断絶の両方が必要だった。つまり〈死者〉を回復することが、〈死者〉の棄却でもなくてはならなかった。しかし、歴史の目的論を媒介にしなければ、今度は、断絶・棄却の契機を失うことになる。では、どうすればよいのか。

＊1 加藤典洋「敗戦後論」『敗戦後論』講談社、一九九七年。
＊2 ジャック・デリダ『赦すこと――赦し得ぬものと時効にかかり得ぬもの』守中高明訳、未来社、二〇一五年。
＊3 倫理的行為は、事実的には、AもBもどちらも選択可能なときに、あえてどちらかを選択するときに構成される。善人を「赦す」のは当たり前なので――善人なのに赦さなかったらそれは単純に事実認識として誤っているので――、善人を「赦す」という行為は、もはや倫理的行為ではない。

第4章　仮象としての大衆

1　鶴見俊輔——国家に抗する「私」

二人の戦後思想家

前章の最後の問いを繰り返そう。現在の——戦後の——〈我々〉は、戦前の、さらには戦争の〈死者たち〉との間に、二律背反的な関係を必要としている。〈我々〉は、〈死者たち〉と連続し、かつ断絶していなくてはならない。この二面を同時に確保することは可能か。どうしたら、それは可能なのか。

戦前の〈死者たち〉の中に、戦後の〈我々〉の「正しさ」につながる契機があったことを証明すればよい。戦前の日本人は、義のない戦争を自ら開始し、そして敗北した。しかし、もし、戦前の日本人に、戦争の誤りを見抜き——いやそもそも戦争へと自らを導いていった体制そのものの誤りを洞察し——、（たとえば）自ら民主化のための運動を立ちあげるポテンシャル（潜在的可能性）があったとしたらどうだろうか。そうだとすれば、戦後の現実の民主化は、そのポテンシャルの継承であり、現実化である。

もし、民主化がすべて、外から（アメリカから）与えられたものでしかないとすれば、伊丹万作の戦争直後の日本人批判が妥当する。戦争直後の日本人は、誰も彼も、「戦前・戦中は

〈誰かに――軍部に?〉だまされていた」と主張したが、それで済まされるなら今もまただまされていない、とどうして言うことができるのか、と。いや、そういう連中は、必ずまた「だまされる」だろう、と。しかし、もし戦後の民主主義が、日本人が内発的に獲得したものと解釈できるならば――そのような解釈をとる余地があるならば――、どうであろうか。つまり、戦前・戦中の日本人は、民主主義を獲得しうるポテンシャルをもっており、敗戦や占領政策は、そのポテンシャルが発現するためのきっかけを与えただけだったとしたら、どうであろうか。その場合には、伊丹万作のこうした批判は、必ずしもあたらない。

日本の戦前の〈死者たち〉に、戦後の〈我々〉が（少なくとも戦前の政治や思想を規定していた理念よりはずっと）よいと見なしうる政治制度や理念へと向かいうるポテンシャルがすでにあった、と見なすことができるだろうか。こうした問いを含んでいる思索の、きわめて徹底した、そして誠実な努力を、私たちは二人の思想家に見出すことができる。二人は、ほとんど同じ年齢、つまり大正末期の生まれで、敗戦のとき、二〇代の前半である。戦後の言論活動を通じて、二人は互いに互いのことをよく知るようになり、厳しく批判しあうライバルとなった。しかし、同時に、二人は、互いに尊敬しあってもいる。二人とは、大正一一（一九二二）年生まれの鶴見俊輔と、大正一三（一九二四）年生まれの吉本隆明（たかあき）である。

二人は、戦争へと向かった日本人の精神の動きに関して、ひとつの認識を共有している。戦争へと日本人を導いた原因と責任の多くは、当時のエリートや知識人にある、と。つまりアジア・太平洋戦争は、主として知識人やエリートの過ちである、と。鶴見と吉本は、大衆や庶民がまったくイノセントであったと主張しているわけではない。いや、それどころか、二人とも、大衆・庶民もまた、戦争へと向かう社会の変動や精神の変容に積極的に加担している、と見なしている。が、しかし大衆・庶民は基本的には従属的であり、第一の原因と責任は、究極的にはエリートや知識人に帰せられる。これが、鶴見俊輔と吉本隆明の基本的な認識である。

このような認識をとることで、特に「後進国」的なところで生じた社会的混乱や無秩序についての、最も安易な説明は封じられることになる。安易な説明とは、混乱・無秩序の原因は、蒙昧(もうまい)な大衆にあった、とする論理である。もしこうした説明で済ますことができるならば、対策もかんたんだ。十分な啓蒙、これが解決策になる。

だが、日本の戦争に関しては、こうしたありがちな説明では不十分である……と、吉本や鶴見の目にはそう見えている。戦争へと向かう社会的趨勢を先導し、戦争を正当化したのは、明らかに、最も啓蒙されている層、つまり(一部の)知識人や(一部の)政治エリートだったからである。少なくとも、啓蒙されたエリートであるということは、誤った戦争へと向かう社会過程に抵抗する力を与えるものではなかった。

したがって、もし戦後の日本人の(相対的な)正しさに向かいうる契機が、戦前・戦中の日本人にもあったとするならば、すなわち〈死者〉となってしまった者も含む戦前・戦中の日本人の中にポジティヴな契機を求めようとするならば、それは、大衆の中にあった、と考えざるをえない。鶴見俊輔も吉本隆明も、そのような仮説的な見通しをもっている。ならば、二人はおおむね同じような結論に至ったのか？

否、である。まったく違う。二人の「大衆像」がまったく異なっているのだ。私たちのここでの語彙を用いるならば、吉本も鶴見も、「大衆」の中に、〈我々の死者〉として現在の〈我々〉が継承すべき何かがある、と見ている。だが、そうして抽出される「大衆」が、両者の間で大きく異なっている。ほとんど対照的である。どうして、ほとんど同じ問題意識のもとで、ほとんど同じ場所で、ほとんど同じものを探しているはずなのに、見出されたものに圧倒的な違いが出てしまったのか。そこが興味深い点である。

絶望すべきだった……

鶴見俊輔の探究は、吉本よりもずっと明快なので、こちらから入ることにしよう。鶴見には、吉本ほどの強迫的な、大衆や庶民への執着はない。いわゆる「六〇年安保」の直後に書かれた「根もとからの民主主義」という評論を参照してみよう。[*1] 鶴見は、一九四五（昭和二〇）年八月一五日の敗戦のときを回顧するところから書き始める。この書き方は、大規模なデモを含む「六〇年安保」の運動が挫折し、日米安保条約の締結を阻止できなかった究極の原因は、敗戦の仕方そのものの失敗にある、と鶴見が考えていたことを暗示している。敗戦の仕方のどこに問題があったのか。

日本の敗北というかたちでの戦争の終結は、日本の各所から、戦争継続反対、一億玉砕反対の声があがったがために、それに押されて政府が決断した……というわけではない。一億玉砕という標語に反対する声は、「非常にかくされた仕方でも、あがらなかった」。しかし、政府は降伏を決定し、敗戦が来た。鶴見は、「政府の最高首脳によって民衆の反対(一億玉砕への反対)の声を先どりして」、敗戦の決定が選ばれた、と解釈している。つまり、もう少し待っていれば、民衆から戦争の継続に反対する声があがるはずだった、というのが、時代に対する鶴見の診断である。

さて、重要なのは、戦後の民主化に対する鶴見の評価だ。それは「アメリカで教育をうけた私などにとってありがたかった」。しかし、同時に、民主化は「戦争中以上の絶望感をつくった」。なぜ、自分が支持し、自らに適合している民主化が、民主主義がなかった戦中以上の絶望感を、鶴見にもたらしたのか。それは、敗戦後、絶望感をもつべき者たちが、絶望感をもたなかったからだ。絶望感をもつべき者とは誰なのか。普通は、民主主義には賛同できない(たとえば)皇国思想の持ち主だ、と答えたくなるが、鶴見が想定しているのは、思想的にこれとまったく対極にいる者たちである。「民主主義者、自由主義者（それから当時は感じなかったのだが、今から考えて見れば共産主義者、社会主義者も）が、絶望感から自由であることが、不思議に感じられた」。

だが、民主主義者、自由主義者、共産主義者、社会主義者は、「天皇」を中核におく戦前・戦中のウルトラナショナリズムへの批判者であり、むしろ民主化を応援する陣営に属しているのではないか。彼らが、絶望せず、むしろ喜んでいるのは当然ではないだろうか。そうではない。続けて鶴見は書く。

ここには、ルールの欠除がある。自分の思想のルールから逸脱した時期のことについての記憶を保つことができず、このために、戦後の日本が、かれらの終始一貫して努力し求めて来た民主主義、自由主義の確立を示す時期であるように見えたのである。

ここで「ルールの欠除」と呼んでいる同じことを、鶴見は直前では、「自発性の欠除」とも呼んでいる。ここで鶴見が述べていることは、次のようなことだ。民主主義者たちは、実際には、終戦を迎えるまで終始一貫して民主主義や自由主義を求めて活動していたわけではない。戦前のある時期より、彼らは、「自分の思想のルールから逸脱した」。つまり、彼らは、自らの思想には反する、日本の戦争遂行を支持するイデオロギーに、積極的または消極的に加担していた。民主化は、彼らが自発的にもたらしたものではない。そのことに、民主主義者たちは絶望すべきだった、というのが鶴見の主張である。

ここには、敗戦において起きたことに関して、第2章で述べたことと正確に合致する認識が記されている。太宰治が「苦悩の年鑑」の冒頭で訴えた比喩を援用すれば、鶴見が見た民主主義者たちは「馬の背中に乗った狐」である。彼らは、トカトントンが鳴っているのを聞くべきだった。実際、トカトントンは鳴り響いているのだ。それなのに、彼らの耳にはそれが聞こえない。トカトントンを、ファンファーレか何かと取り違えている。このことが、鶴見を絶望させる。

自らが、自らの思想のルールを裏切っていたことを忘却し、あたかもその思想のルールを保ち続けていたかのように錯覚すること。このことを歴史的に捉えなおせば、〈我々の死者〉の喪失という形態をとる。民主化のために努力し、活動してきた（かつての）〈我々〉など存在しないし、存在しないことを戦後の〈我々〉もほんとうは知っているからだ。

「私」の中の「普遍人」

ならば、（これから）どうすればよいのか。あるいは、あのとき――戦前・戦中のあの時点で――、どうすべきだったのか。「根もとからの民主主義」で、鶴見は、「私とは何か」を徹底的に探究することに活路がある、と示唆している。

戦前の日本人は、国家に無批判に従った。このことが、日本人を誤った戦争へと駆り立て、国内外に多くの犠牲者をうみ、敗戦という結果をもたらした。だがここで鶴見は、徹底した自己省察を勧める。「私」の中を、底の底まで探ってみよ。「私」を徹底して分解してみよ。国家に頭を下げ、従属する自分が、「私」のすべてなのか。そうではあるまい。「私」の中には、そうしたものに還元できない「普遍的な価値」が見出されるはずではないか、と鶴見は主張する。

> この私の中の小さな私のさらに底にひそんでいる小さなものの中に、未来の社会のイメージがある。私が全体としてひずみをもっているとしても、分解してゆけば、ゆきつくはてに、みんなに通用する普遍的な価値がある。このような信頼が、私を、既成の社会、既成の歴史にたちむかわせる。国家にたいして頭をさげないということは、（中略）私の中にたくみに底までくだってゆけば国家をも、世界国家をも批判し得る原理があるということへの信頼によっている。

「私」という単独性を徹底的に追究し、そこから「ひずみ」を、つまり偶有的でどうでもよいことを排除していけば、最後に、普遍的な価値へと到達しうる、という確信が鶴見にはある。

だが、そこに到達する上で、留意すべき重要なことがいくつかある。

「私」の中核にある普遍性ということは、知識人がもつような一般性の高い学問、たとえば科学的認識のようなものとは異なる。「科学に背をむける思想は失敗する」が、科学の学習がそのまま思想をつくるわけではない。思想は、「積極的な生活形態、事業形態」と結びついていなくてはならないからだ。このような注記から、鶴見が「私」の中に必ず見出すことができるとしている「普遍人」を、生活や仕事から遊離した抽象的な実体としては想定していないことがわかる。だから、「私」の中の「普遍人」に到達するには、自らの「階級的感覚」を意識化する手続きを経由しなくてはならない、とされる。そうした手続きを経ずに「一挙に、私の中のより小さな普遍人を抽出し、それ以後はひずみある私をすてて万人共通の理想にのみつくというようなタイプの革命的行動」は、「革命への能動的参加」にはなりえない。たとえば、鶴見自身に関していえば「上、三代ほどは、政治家がおり、いずれも多少の権力をにぎっていた時期があった」と、自らの階級的所属を対自化しなくてはならない。

その上で、鶴見は、庶民や大衆の方に、より多くを期待している、と解釈することができる。つまり、庶民こそ、国家に抗する「普遍人」としての側面をより濃厚に有している、と。鶴見がそのような認識をもっていると解釈できる根拠は、次の点にある。すなわち、本道派の天理教、大本教（おおもと）、創価学会、キリスト教のいくつかの宗派（ホーリネス派、灯台社、再臨派）など、

「庶民の宗教」と見なしうる流派の人々から、「戦争反対を貫く人々」が多く出た、ということを鶴見は高く評価しているのだ。鶴見は、僧侶出身の妹尾義郎（せのおぎろう）が、貧しい檀家をもつ僧侶たちに呼びかけて、仏教的な立場から軍国主義反対の運動を計画したこと（実現しなかったが）、宮沢賢治、石原莞爾（かんじ）、牧口常三郎（つねさぶろう）など日蓮宗とつながりがあった人々が、天皇崇拝や大東亜戦争（アジア・太平洋戦争）などに積極的・消極的に反対の意思を表明していたことなどに、強い共感をもって注目した。[*2]

このように、鶴見俊輔は、とりわけ庶民や大衆（に近いところにいた者たち）の想像力や感性に、国家や戦争を超える「普遍的な価値」につながるものが見出されるはずだ、と期待していた。鶴見が、「限界芸術」や「生活綴方運動（つづりかた）」に関心をもち、それらにポジティヴな可能性を見たのも、こうした期待の表れである。限界芸術とは、「純粋芸術」（専門家による芸術）と「大衆芸術」（非専門家である大衆によって創造され享受される芸術）の境界線上にある芸術である。[*3]また生活綴方は、子供や青年が、生活の中から感じ、考え、発見したことをできるだけ生き生きとした表現で書いた作文であり、大正中期頃より、こうした作文を推奨し、教育に取り入れようとする運動があった。鶴見は、これを、「日本の実践」から発生した「自己内発的なプラグマティズム」であると解釈し、官僚の思想に侵されていない、民衆の自律的な思想形成に資すると高く評価した。[*4]

私たちのここでの探究との関連では、鶴見のこうした仕事をどう位置づけることができるだろうか。簡単である。鶴見によれば、「私」にとって本質的なことを探っていけば、国家機構の影響から独立した、普遍的な価値にふれる根を見出すことができる。そのような私的にして普遍的な根は、とりわけ、大衆の生活に密着した部分で活きており、それがたとえば戦前の軍国主義批判や天皇崇拝批判というかたちで現れた。そうだとすると、戦後の日本人、戦後の〈我々〉がそのまま継承することができる〈我々の死者〉は、確かに、戦前・戦中にもいた、ということになる。無数の「私」の中に、とりわけ大衆の「私」の中に、国家に抗する「普遍人」という形態をとって、それは存在していたのだ。鶴見の思想からは、このような結論を導くことができる。

吉本隆明もまた、鶴見俊輔と同様に、大衆に思想の根拠を求めている。ということは、二人はおおむね同意見なのか。

2 吉本隆明——大衆の「仮象」

大衆の定義

そうではない。吉本隆明と鶴見俊輔の見解はまったく違う。というのも、吉本が描く大衆の相貌と、鶴見が「大衆」「庶民」「民衆」などの語によって指し示しているものとは、まったくかけ離れているのである。類似の語によって、ぜんぜん異なったものが意味されている……としか思えない。吉本も鶴見も、そのことを自覚している。そのため、両者は、ときには明示的に、ときには間接的な言い回しで、互いに互いを批判しあってもいる。

鶴見の論理によって、現代の日本人にとっての〈我々の死者〉を回復することができたのか。そのことは、吉本の「大衆」が、どうして鶴見の念頭にある大衆と大きく乖離したのか、を検討したあとでないと結論できない。

吉本は、鶴見と違って、「大衆」を厳密に定義している。が、その大衆は、抽象的でエキセントリックだ。「日本のナショナリズム」（一九六四年）という吉本のよく知られた論文によると、真の大衆とは、「みずから書く」という行為では決して語ることがない者たちのことである。[*5] 書く者たちは、厳密な意味での大衆それ自体ではない。たとえば、生活綴方によって訓練され、書くことを覚えた者たちは、もはや大衆ではない。

わたしがもっとも関心をもつのは、決して「みずから書く」という行為では語られない大衆の「ナショナリズム」である。（中略）

「書く」大衆と、大衆それ自体とのげんみつな、そして決定的な相違の意味は、生活記録論やプラグマチズムによってはよくとらえられていない。

だが、大衆をそこまで限定してしまったとき、すぐに問われることがある。そんな大衆はどこに存在するのか、と。まず確認しておこう。大衆ではない者、つまり大衆の対立項は何か。大衆ではない者として吉本の念頭には、二つの社会層がある。一つは知識人、もう一つは支配者である。話すことにおいて生活する（行為する）大衆に対して、知識人は、書くことを主とする者である。知識人は、大衆と支配者の間に挟まれ、両方から疎外されている（吉本の表現を用いれば、大衆からは上昇的に疎外され、支配者からは下降的に疎外されている）。

では、大衆と支配者の関係はどうなっているのか。「日本のナショナリズム」での吉本の説明は、両義性をもっている。支配者は、大衆の鏡である。ただし逆立ちした。「鏡」としての側面から見れば、両者は同じである。しかし、もっともかけ離れてもいる――正反対（逆立ち）でもある。支配者と大衆の両者に対して外的なのが知識人だということになる。

吉本のいう「大衆」は、しかし、文字を読み書きできない者という意味ではない。では何か。それは、排他的な階級や階層を指しているのではなく、むしろ、すべての人（日本人）に内在している、ある側面（アスペクト）を意味していると解釈すべきだろう。すべての人が、ある意味では大衆である――大衆としての生活体験や思想体験をもつ。それは、「書くこと」ではなく、音声で

「話すこと」にそって展開する生活と思想だ。

ここで、もう一度、問わなくてはならない。自分の思考や経験のどの部分が純粋に話すこと（音声）に帰属し、どの部分が書くこと（文字）に帰属する、などということを厳密に分けることができるものなのか。そもそも、両者を切り分けることにどんな意味があるのか。吉本隆明は、どうしてこの区別に執着したのか。この点に、まさに戦争と敗戦が関係している。吉本が特に重く考えたのは、いわゆる「転向」という現象である。

「鋼鉄の武器を失へる時」

吉本隆明自身は、敗戦のその日まで、ウルトラ・ナショナリストの一人だったと言ってよいだろう。日本が負けるはずがない……と信じるほど愚かではなかったが、つまり敗戦の予感をもたないでもなかったが、仮に負けたとしても日本の戦いには意味があった、と言えるものになるだろう、と信じていた。その頃の吉本にとってのヒーロー（の一人）は、詩人の高村光太郎である。[*6] 高村は、負けはわかっているがなお戦争にかける、という徹底抗戦派の知識人である。「全日本の全日本人よ、起つて琉球に血液を送れ」と（むろん、沖縄戦の最中の言葉である）。

だが、吉本は、一九四五年八月一五日の直後に高村が発表した詩「一億の号泣」に違和感を覚えた。吉本にとって、高村に対する最初の疑惑がこのとき萌す。その一部を引こう。

鋼鉄の武器を失へる時
精神の武器おのづから強からんとす
真と美と到らざるなき我等が未来の文化こそ
必ずこの号泣を母胎として其の形相を孕まん

外面（鋼鉄の武器）は崩壊したが、内面（精神の武器）は崩壊せず、ますます強化された、という詩だが、ここには明らかな欺瞞がある。この欺瞞は、高村の戦後の詩において、よりいっそう誇張されて現れるようになる、と吉本は見ている。ほんとうは自分自身も転向しているのに（精神の武器も壊れているのに）、そのことを自覚せず、むしろ自らは非転向を堅持しているかのようにふるまい、他人の転向を批判する。この欺瞞は、鶴見俊輔が、「ほんらいだったら絶望すべきだったのに、絶望しなかった」と批判した、敗戦後の日本の民主主義者たちの態度にも共通している。

吉本隆明の転向への関心の端緒は、高村光太郎が敗戦直後に書いたこの詩への疑問にある。吉本の「転向論」[*7]の主題は、吉本自身よりも、これを論評した鶴見俊輔によってより明快に提示されている。[*8]日本の敗戦から振り返って、高村光太郎をはじめすべての日本の知識人は、日本社会の総体を捉えそこなった、ということがわかる。彼らはどうして、例外なくまちがったのか。さらに、「なぜ敗戦をつらぬいて自力再建するコースを日本の知識人はつくれなかったのか、なぜ敗戦が革命によってもたらされるような条件をつくり得なかったか」。

二種類の転向

日本の近代史の文脈で「転向」と言えば、最も狭くは、共産主義者が共産主義を放棄することを指す。それよりも少し意味を広げた用法では、転向は、近代的・進歩的な合理主義の放棄を意味する。そして、さらに拡張的には、思想的転回の現象の一般を指す。

しかし、吉本は「転向」という語を、もっと広い意味で使う。あまりに広い現象をこの語によって指すため、吉本の用法はまったく破格なものになる。いや、それどころか、普通は「非転向」の典型と見なされることまでもが、転向概念の中に包摂されてしまう。が、どうしてそこまで概念を拡張させる必要があったのかを納得するためには、吉本の場合も、考察の出発点には、典型的で狭義の転向現象があった、ということを理解しておく必要がある。典型的な転向に対するきわめて深い分析が、転向概念の極端な拡張を自然に要請することになる。

最も有名な「転向」、そして共産主義者の転向の先がけとなった「転向」は、一九三三（昭和八）年の佐野学と鍋山貞親（さだちか）の転向である。共産党の最高指導者だった二人が、転向声明書を書き、それが同年七月号の『改造』に掲載された。彼らは、自らが転向したことを宣言し、また同じように被告となっている共産主義者たちに転向を呼びかけたのである。どうして彼らは転向したのか。普通は、官憲からの強制や圧迫が大きく、転向者には、それに耐えるだけの志操の固さがなかったため……と説明されるのだが、吉本の考えはこれとはまったく違う。佐野・鍋山の転向の最大の原因は――吉本によれば――、大衆からの孤立（感）にある。

むしろ、大衆からの孤立（感）が〔転向の：大澤補足〕最大の条件であったとするのが、わたしの転向論のアクシスである。生きて生虜の耻（はずか）しめをうけず、という思想が徹底してたたきこまれた軍国主義下では、名もない庶民もまた、敵虜となるよりも死を択ぶという行動を原則としえたのは、（あるいは捕虜を耻辱としたのは）、連帯認識があるとき人間がいかに強くなりえ、孤立感にさらされたとき、いかにつまずきやすいかを証しているのだ。

「孤立（感）」からの転向と言うとき、次のような思考の転換の経路が念頭に置かれている。佐野と鍋山に限らず、日本の知識人は一般に、マルクス主義のような西洋由来の思想や学問を――文字を通じて――学習する。そうした思想や学問は高度な近代的要素であって、「封建制」の「優性遺伝的要素」が支配する日本社会の現実からは遊離している。ここで「封建制」とは、前近代的なもの一般を指しており、「優性遺伝」は、容易に離脱できない強い文化的伝統を意味する、吉本固有の（あまり適切ではない）比喩的な語彙である。

あるとき、知識人は、小バカにしてきたこうした日本的情況がそれなりに充足しており、自分たちがそこから切り離されていることに気づく。要するに、自分たちが、大衆から孤立していたことに気づき、その孤独に耐えられなくなるのだ。そうして、彼らは、近代的な知（たとえばマルクス主義）を捨て、大衆を規定している、封建制の優性遺伝的要素に屈服することになる。これが、典型的な転向の経路だというのが、吉本の理解だ。

このような理解に立脚すると、いわゆる「非転向」も、同じ穴の狢であることがわかる。戦争が終わって間もない時期、転向しなかった共産主義者（蔵原惟人、宮本顕治など）は、戦争一色の時代にあって最後まで戦争反対を貫いた数少ない者として英雄視された。だが、吉本に言わせれば、彼らは、特段に立派なわけではない。むしろ逆である。

彼ら非転向者は、近代主義的な思想の中に、いわば閉じこもり、これを日本社会の現実と対決させ、検証することを回避しただけのことだ。日本的情況から逃避して、書物で学んだ、西洋由来の近代思想の中を生きれば、孤独を感じずにすむ。客観的には孤立しているが、孤独には苦しまない。そのため、転向せずにすむ。

そうだとすると、いわゆる転向と非転向の間には本質的な差異はない。どちらも、日本の情況から遊離した知識だけをもち、大衆から孤立している点では変わらない。ただその孤立に気づかされ、孤独に耐えられなくなったがために、前近代的・封建的な情況に迎合した者と、自身の孤立にいつまでも目をつむっていた者とがいる。後者の非転向の方がよいわけではなく、孤立の自覚が欠けているのだから、考えようによっては前者より悪い。いずれにせよ、知識人のあり方として両者を区別すべきではなく、普通には非転向とされているものも、むしろ本質的には転向の一種である、というのが吉本の結論である。

わたしは、佐野、鍋山的な転向を、日本的な封建制の優性に屈したものとみたいし、小林〔多喜二：大澤補足〕、宮本の「非転向」的転回を、日本的モデルニスムス〔近代主義：同〕の指標として、いわば、日本の封建的劣性との対決を回避したものとしてみたい。（中略）そこに共通しているのは、日本の社会構造の総体によって対応づけられない思想の悲劇である。

庶民からの罵倒に応えて？

しかし、これら二種類の転向とは異なる、それらよりは優れた思考転換の過程がある。吉本はこう述べ、「転向論」の中で、一つだけ、そのようなケースを挙げている。中野重治が、それである。中野は、一九三五年に、自身の転向の体験を「村の家」という小説に書く。

小説の主人公勉次（中野自身）は、政治活動をしないという上申書を提出し、保釈を願いでる。出獄後、田舎に帰ると、勉次は父親の孫蔵に厳しくしかられる。革命がどうしたこうしたと書きまくっていたくせに、結局、刑死を恐れ、自分が選んだ思想に殉ずることができなくなるのならば、これからはもう書くのはやめろ、と。平凡だが、もっともな見解である。つまり、「平凡な庶民が誰でもなしうる罵倒」である。そしてこれこそ、日本封建制の優性遺伝に由来する批判である。

勉次はこの批判にどう応じたか。父の言うことはよくわかるが、「やはり書いて行きたいと思います」。勉次は「いま筆を捨てたらほんとうに最後だと思った。彼はその考えが論理的に説明されうると思ったが、自分で父にたいしてすることはできないと感じた」。

吉本によれば、これは二種類の転向を超える第三の道である。どこがそんなにすばらしいのか。「それでも書いて行く」ことは、日本の庶民・大衆の中にある封建的優性とまっすぐに対決し、そこを起点として立ち上がっていくという革命家の態度である……これが吉本の評価である。

率直に言って、吉本による中野重治の小説に対するこの解釈は、贔屓（ひいき）の引き倒し的な強引さがある。勉次（中野重治）は、父孫蔵（庶民）からの批判にまともに答えず、ただ書くという知識人的な仕事を捨てられない、と主張しているだけなのだから、普通の転向者とさして変わらない。吉本は、火も煙もないところを指差して、大きな煙が上がっている、と騒ぎ立てているようにも思える。だが、どうして吉本が、「大衆」を肯定し、それを思想の正しさの最終的な根拠としたのか、その理由は、ここからよく見えてくる。

超越論的仮象としての大衆

日本の知識人は、先進的な西洋の近代的思想を、書物（文字）を通じて輸入し、それを振りかざしていただけだった。日本的情況を無視したその思想は、日本の社会を総体として把握し、正しい方向を見出すのに失敗した。そうだとすれば、大衆に密着したところに端緒を定め、日本社会の「封建的優性」を直視することから始めるしかない。外来の思想を輸入するのではなく、日本の大衆の生活の経験に根をもつ思想を獲得するしかない。

とはいえ、大衆が正しく社会や世界を認識していたわけではない。大衆もまちがったのだ。しかし、それでも――今見てきたような吉本の理路に乗った場合には――、大衆のあり方の核の部分に、思想の正しさを最終的に根拠づけるものがあるし、またあったと考えざるをえない。そうでなければ、思想を成り立たせる根拠はどこにもない、ということになってしまう。だが、繰り返せば実際の大衆は、知識人に多少なりとも影響されながら大きく誤っていたとするならば、思想の根拠となりうる大衆は、知識人ふうのものの見方から完全に自由な純粋な大衆、大衆としての大衆でなくてはならない。そのような大衆こそが、吉本のいう「大衆の原像」である。だが、吉本は実際にその原像であるところの大衆を、戦前の日本社会に、あるいは戦後の日本社会においてさえも、見出したわけではない。原像としての大衆は、ほんとうは、思想を有意味に成り立たせるための条件として、前提にされているだけである。その大衆は、実在の原像ではなく仮説、いや仮象である。そのことは、鶴見俊輔に、正確に見抜かれてしまっている。

大衆の生活思想が、知識人ふうのものにすりかえられることなく、あくまでも大衆の生活思想として自立することが、吉本隆明のナショナリズム〔論：大澤補足〕の計画である。ここで裏目なしの底にあたる部分となる大衆の生活思想は、理論上措定されるものとして吉本の理論の中にある。吉本は、その措定をしばしば実体〔実在：同〕と混同してはいないか。[*9]

あらゆる思想の正しさの基準を与える生活思想をもつ大衆なるものは、実際に存在する何かを反映する「原像」ではなく、純粋に「仮象」である。だが、それは、同じ仮象だと言っても、カントだったら「超越論的仮象」と呼ぶようなタイプの仮象だ。超越論的仮象とは、理性が避けることができない——理性が働くときにどうしても前提にせざるをえない——仮象のことだ。カントにとっては、「神」「自由」「不死の魂」などが超越論的仮象だった。吉本にとっては、知識人ふうの「文字（書くこと）」にまったく侵されていない、「純粋な声（話すこと）」において生活する大衆は超越論的仮象である。思想は、この原像としての大衆を前提にする限りで、真理の探究としての有意味性を獲得することができる。そして、何より、吉本にとっては、その大衆は仮象にとどまっているわけにはいかない。大衆は実在する実体でなくてはならない。原像としての大衆は、かつて存在していたはずであり、現在も存在していた……ということは、思想が可能であるための絶対的な条件である。もしそのような大衆が戦前・戦中にも存在していたならば、それこそ、現在の〈我々〉が継承しうる〈我々の死者〉でもある。

しかし、吉本は、原像としての大衆を実在の中に見出し、ひとつの事実として認識したわけではない。客観的に見れば、原像であるところの大衆は、事実認識の産物ではなく、規範的要請である。その規範的要請は、証明抜きで妥当する真理として前提にされた。だが、そんな大衆は存在していたのか。たとえば、勉次を批判する父孫蔵は、そのような大衆か。孫蔵の転向した息子への違和感は、外来の思想への不信感としては十分だが、さらなる思想を構成する契機としてはあまりにも弱く、無に等しい。原像としての大衆は、どこにも存在していない。

3　井の中の蛙は井の中にいて……

あえて日本に帰国した

鶴見俊輔も吉本隆明も、大衆に思想の根拠を見出し、――私たちのここでの問題意識と関連づければ――そこに〈我々の死者〉がいると直観した。しかし、その「大衆」の像はあまりにも異なっている。鶴見が見ていた大衆は、確かな経験的実在である。しかし、吉本の大衆は、経験的には実在しない仮象だ。どうして、こうした違いが出たのか。

直接の原因はすぐにわかる。鶴見は、吉本ほどには、戦前・戦中に自分がまちがっていた、誤った思想に従っていた、とは思っていない。いや、鶴見は、日本人の大半が誤っていたとき、自分はおおむね正しく世界や社会を認識していた、と確信している。高村光太郎に心酔していた吉本とは違う。この相違が、「大衆」についての両者の見解に大きな違いをもたらした。

日米の間で戦争が始まったとき、鶴見はアメリカに留学していた。彼は、その三年前の一五歳のとき渡米し、「パールハーバー」があったとき、ハーバード大学で哲学を学ぶ、きわめて優秀な学生だった。開戦後、収容所に入れられるが、そこで大学に提出する卒業論文まで書いている。開戦からおよそ八カ月を経たとき、鶴見は日米交換船に乗って、日本に帰国した。アメリカに留まることもできたのに、わざわざ日本に戻ったのは、日本が勝つと思ったからでもなければ、日本を応援したかったからでもない。まったく逆である。アメリカをよく知る鶴見は、開戦と同時に、アメリカの勝利を確信した。だが、安全なアメリカにいて戦争の終わりまでを過ごすより、終戦時に敗者の側にいるべきだ、という独特の判断から、鶴見は帰国を選んだ。

鶴見は、こうして日本に戻り、さらに帰国後、自ら積極的に徴兵検査を受け、海軍軍属のドイツ語通訳としてジャワ島に赴任している。これらは、日本の侵略に積極的に加担しているように見えるが、実際には、日本の敗北を（正しく）予見しているがゆえになされていることだ。鶴見は戦争に積極的な意味があるとも思っていない。鶴見の戦争協力はまったく表向きのことであって、彼は戦中においてすでに、日本の誤りと敗北を、シニカルに見抜いている。敗戦のときまで天皇制ウルトラ・ナショナリズムにきまじめに没入した吉本とは対照的である。

より大きくまちがったという自覚がある者は、そのまちがいを補償する「大衆」をより厳しく、より限定して捉えようとする。あまりに厳しく絞った結果、その「大衆」は、どこにも実在しない大衆になってしまった。

ここを攻撃するアメリカの飛行機は友なのか？

さて、ここで問おう。私たちは、どちらの線で考えていくべきなのか。鶴見俊輔か、吉本隆明か。鶴見の分析に従えば、戦前・戦中に、現在の我々がその思いを引き継ぐことができる〈我々の死者〉がいた、ということになる。吉本の分析をとったときには、〈我々の死者〉は、吉本が要請した仮象であって、実際には無である。私たちは、どちらの分析を継承すべきか。

両者の理論の違いの源泉となっている、それぞれの自己認識の妥当性を問題にしているのではない。「私は戦争中に誤りに加担しなかった」という鶴見の自己認識も、また「私は敗戦の日までウルトラ・ナショナリストだった」という吉本の自己認識も、ここでその是非や妥当性を問題にしようとは思わない。そうではなく、「大衆」をめぐるどちらの理論が、私たち自身のここでの考察にとって有意味なのか、を考えておきたいのだ。

吉本隆明は、「日本のナショナリズム」の中で、鶴見俊輔の「日本知識人のアメリカ像」から次の部分を引用している。「わたしにある熟考をせまる」として。

この条件下で、（この文の前に徳田〔球一：大澤補足〕・志賀〔義雄：同〕の『獄中十八年』からの引用があり、そこにはアメリカ空軍の空襲のさいの拘禁所内の混乱ぶりが語られている。——吉本による註）天皇ならびに役人たちは日本人であるという理由だけで友であるか？　日本を攻撃するアメリカの飛行機は、敵であるか？　私は、そうは思わない。この条件下で、獄中で日本の軍国主義とたたかっていた日本人は、日本の権力者にたいするよりも、アメリカ人と結びついていた。このような結びつきは当時可能であったごとく、今後も、条件の変更によっては、日本人とアメリカ人とのあいだに起りうることなのだ。このことの認識をぬきにして、虚像を建設することだけは、はっきりと排除したい。[*10]

鶴見はこのように述べている。もし「私は日本の軍国主義とたたかっていたのだから、日本を空爆しているアメリカこそが私の友である」という自己認識が許されるならば、戦後、日本を占領し、民主化したアメリカについて、「私を救済し、解放してくれた」と言うことが許されることになる。そして、軍国主義に反対していたたくさんのかつての日本人が、戦後に民主化した日本人にとって、〈我々の死者〉であった、と見なすこともできる。〈我々〉は、あのとき〈我々の死者〉を失ったわけではない、と。

しかし、このような認識こそ私たちのここまでの考察の中で拒否してきたことではないだろうか。太宰治も大岡昇平も、戦中、軍国主義にも皇国思想にも反対だった。しかし彼らは戦後、「私はもともと民主主義者だった、自由主義者だった」と主張することを潔しとせず、むしろ、日本の戦争を結局は許容していたという立場を堅持した。あるいは、今しがた吉本に従いつつ見てきたように、最後まで戦争に反対し、転向を拒否したとされる獄中の共産主義者が、転向して戦争支持にまわった共産主義者よりも高級だったわけではない。そして何より、現在の〈我々〉も、「戦前・戦中に、日本よりもアメリカにシンパシーを感じている人々がたくさんいて、彼らのおかげで民主化が実現した」という認識を、真に納得するかたちでもってはいない。

鶴見個人が、日本を攻撃しているアメリカこそが私の友である、と考えることには何の問題もない。鶴見の人生と思想の履歴は、そのような自己主張を十分に正当化するものだ。しかし、この鶴見の自己認識を一般化し、日本の思想の基底に据えるわけにはいかない。要するに、「獄中で日本の軍国主義とたたかっていた日本人」を〈我々の死者〉と見なすことはできない。

したがって、私たちは、吉本の路線を引き継ぐべきである。だが、これは、敗戦の時点で、日本人は〈我々の死者〉を失った、ということをあらためて、より強く確認させるものである。吉本自身は、日本の大衆がいたではないか、と言う。だが吉本が求めているような大衆、原像としての大衆など――この点では鶴見が正しく洞察していたように――、どこにも実在してはいないのだ。

井の中の蛙

私たちは同じ困難の前に差し戻されている。ところで、吉本隆明は、鶴見俊輔の文章を引用したすぐあとに、次のように書いている。

> わたしは、ソ連や中共やアメリカにどんな虚像ももたないことを代償として、日本の大衆は敵であるということが条件次第では可能であるという認識にたいしては、鶴見の断定に反対したい。あるいは、あるはにかみをもって、沈黙したい。インターナショナリズム

にどんな虚像をもたないということを代償にして、わたしならば日本の大衆を絶対に敵としないという思想方法を編みだすだろうし、編みだそうとしてきた。井の中の蛙は、井の外に虚像をもつかぎりは、井の中にあるが、井の外に虚像をもたなければ、井の中にあること自体が、井の外とつながっている、という方法を択びたいとおもう。*11

前半は、日本の大衆をポジティヴに前提にすることだけが、（日本にあっては）思想を可能にする条件である、という吉本の主張の再確認である。ここで注目したいのは、後半の「井の中の蛙」の比喩だ。実は、この同じ部分を今度は、鶴見俊輔が「吉本隆明についての覚え書き」で引用している。そして、鶴見は、自分自身が戦争中に書いていた日記を引用し、吉本の論と対比させている。その日記にも「井の中の蛙」という喩えが出てくるからだ。両者の比較から、鶴見は、自分よりも吉本の方が優れている、と賞賛している。「おなじたとえが、（中略）私の文章の中ではありきたりのつまらぬ意味につかわれ、吉本の文章ではそのたとえの意味が逆転されて、おなじたとえから新しい高い意味が引き出されている」と。

ここで「井の中の蛙」とは、もちろん日本の大衆のことである。井の中の蛙が、井の外に虚像をもつと、自分は井の外の広い世界に出たような気分になるが、ほんとうは井の中にいるままだ。たとえばアメリカの自由主義や西洋の共産主義や、そのほか、外来の思想をお勉強すると、自分は、無知な大衆よりも偉いような気分になるが、そんな思想は、十分に自らの行動や経験を決定するようなものとして受肉していない虚像であって、それを知識として所有していても大衆となんら変わらない。

だから、井の中の蛙は、まさに井の中にいることにおいて井の外につながらなくてはならない。だが、そんなことはいかにして可能なのか？　そんな矛盾したことが、どのようにして実現するのか？　吉本は、原像としての大衆を独断的に前提にするだけで、この問いに答えられてはいない。

ここで一人の日本の作家が連想される。戦後生まれで、現在も書き続けている作家。そして、日本の小説家の中で、日本国内でも、また世界でも最も広く読まれてきた作家。村上春樹である。ある時期以降の村上春樹の長編小説の主人公は、しばしば、文字通り、井戸の中に入る。主人公たちは、その井戸の中を媒介にして、外の世界へとつながっていくのだ。しかも、村上春樹にとっても、日本の侵略戦争の遂行者、日本の戦争の死者は、非常に重要な意味をもっていたことがわかる。

＊1　鶴見俊輔「根もとからの民主主義」『思想の科学（第4次）』19号、一九六〇年七月。

＊2　満洲国建国の翌年に没している宮沢賢治は、シベリア出兵（一九一八年）から満洲国建国（一九三二年）にかけての時期に、時代の思潮に逆らう態度を堅持しており、ほんのわずかでも天皇崇拝や軍国主義賛美を含意する作品を書かなかった。石原莞爾は、満洲事変を引き起こし満洲国の建設を推進したが、しかし、太平洋戦争の最中には、この戦争に反対の意思を表明した。創価学会の初代会長である牧口常三郎は、「人生地理学」なるものを唱え、戦争への反対者として獄死した。

＊3　鶴見俊輔『限界芸術論』勁草書房、一九六七年。

＊4　久野収・鶴見俊輔『現代日本の思想――その五つの渦』岩波新書、一九五六年、第Ⅲ章。

＊5　吉本隆明「日本のナショナリズム」『現代日本思想大系4　ナショナリズム』筑摩書房、一九六四年。

＊6　吉本隆明『高村光太郎』春秋社、一九六六年。

＊7　吉本隆明「転向論」『現代批評』第一号、一九五八年一二月。

＊8　鶴見俊輔「転向論の展望――吉本隆明・花田清輝」『転向：共同研究』平凡社、一九六二年。

＊9　鶴見俊輔「吉本隆明についての覚え書き」『思想の科学（第5次）』32号、一九六四年。

＊10　吉本隆明「日本のナショナリズム」からの孫引き。原文は、鶴見俊輔「日本知識人のアメリカ像」。

＊11　吉本隆明「日本のナショナリズム」。

第5章　青みどろだけがいた

1　先祖の話

無縁ぼとけの列に疎外しておくわけにはいかない

アジア・太平洋戦争の敗戦において、日本人は、自らに所属する死者を、〈我々の死者〉を失った。だが〈死者〉は失われたままに放置されたわけではない。〈我々の死者〉を取り戻そうとする試みもあったのだ。

そのような試みとしてまずは、柳田國男が戦後すぐに——というより厳密には戦争末期から——手掛けていた仕事がある。柳田の日記の昭和二〇（一九四五）年八月一一日、「土よう　晴あつし」とあるその日の記述に、警視総監なども務めた貴族院議員の長岡隆一郎から「時局の迫れる話を」、つまり終戦に近いことを知らされる、とある。この事実が記されたあと、「いよいよ働かねばならぬ世になりぬ」と決意を記した文が付け加えられている。この決意の結果として現れたのが、昭和二一年に上梓された『先祖の話』である。

この書に付した柳田の自序によると、この本の本文の起筆は昭和二〇年四月上旬であり、擱筆は五月の終わりだ。つまり柳田は、実際の終戦を待たずに、終戦後のための仕事を始めていたことになる。書き始めたのは、東京大空襲（同年三月一〇日）のおよそ一カ月後である。そして執筆の最中にも東京への空襲は行われている。柳田が敗戦への切迫した予感の中で書いていたことは疑いない。『先祖の話』という著書での柳田の学問的な意味での問題意識は、家の存続ということの信仰上の基盤を明らかにすることにある。だが、どうして、これが、敗戦とともになさねばならないこと、「いよいよ働かねばならぬ」という思いの中での仕事なのか。この点に関しては、柳田自身がこの著書の結末近くではっきりと説明している。

少なくとも国のために戦って死んだ若人だけは、何としてもこれを仏徒の言う無縁ぼとけの列に、疎外しておくわけにはいくまいと思う。[*1]

戦場で死んだ若者の霊は、「無縁ぼとけ」になりうる。その霊を救わなくてはならない、というのが、『先祖の話』に賭けられた柳田の実践的な目的である。だが、戦争に出て死んだ若者の霊は、靖国神社に祀(まつ)られるのだから、「無縁ぼとけ」として捨てられることはないのではあるまいか。この点について、柳田自身は、今引用した文に続けて——穏やかな調子で——「もちろん国と府県とには晴の祭場があり、霊の鎮まるべきところは設けられてあるが、一方には家々の骨肉相依るの情は無視することが出来ない」と書く。これは極端に抑制された表現になっている。靖国や護国神社はもはや、戦争の死者の救済の場とはなりえないのだ。

その理由は、ここまで論じてきたことから明らかだろう。戦場に散った若者たちの死は、「国体」のための、(現人神(あらひとがみ)としての)天皇のための死であった。敗戦ということは、死者たちがそれのために死んでいったものが、つまり天皇や皇国といった観念が、無意味なものへと転じたということだ。日本人は、敗戦を通じて、このことを納得した。

ところで靖国に祀られるということは、それらの観念――「国体」「皇国」「現人神」等――の持続や維持に貢献したことの承認である。しかし、その肝心の観念がもはや無意味になっているとしたら、死者の霊が靖国に祀られたとしても、その死は依然として「犬死に」にとどまる。国や府県の「晴の祭場」では、霊は鎮まらない。

柳田國男は決して、戦前の天皇制や皇国思想への強い反対者ではなかった。しかし、それらが、日本人にとって本質的なものであるとも思っていなかった。皇室や天皇家の伝統などはその表層の一部でしかないような、もっと包括的で深い伝統が、日本人という「民族の自然」にはある、というのが柳田の確信である。この確信にそったことが実証できれば、その包括的で深い伝統の中で意味づけなおすことを通じて、戦場で死んでいった若者たちの死を無価値から救済することができる。

そうして、死をあらためて意味づけるような参照枠として柳田が提起したのが、家の存続を支える先祖信仰である。皇室や国体のため(のみ)の犠牲と見れば、若者たちの死や彼らを戦場へと送り出した戦前・戦中の日本人の行動は、無価値だったとしか解釈できない。しかし、彼らが守ろうとしたのは、敗戦によって失われることのない家であり、それゆえ彼らは祖霊の集合の中に迎え入れられるのだとすれば、その死も、それを応援した人々の行動も無価値とは言えないだろう。

人を甘んじて邦家のために死なしめる道徳に、信仰の基底が無かったということは考えられない。そうして以前にはそれがあったということが、我々にはほぼ確かめ得られるのである。[*2]

あの隅のあたりで見たり、聴いたりしている者

柳田國男が戦争に行った死者の霊の救済に拘ったのは、死者のためだけではない。生者にとってもそれが絶対に必要なことだったからである。どうしてなのか?

柳田の考えでは、家という共同性の中で位置づけられている死者——つまり先祖——こそが、「常民」（普通の日本人）の道徳・規範の源泉になっているからだ。家とは、死者を祖霊の集合の中に繰り込み、生者と親しい相互交流の関係におくシステムである（たとえば祖霊となった死者は盆や正月に生きている家族のところに戻ってくる）。柳田によると、常民が道徳的であり

うるのは、祖霊のまなざしによって見守られているという意識があるからである。

柳田は、たとえば桑原武夫との対談の中でこの点をはっきりと述べている。日本人の美質として「義憤」と「制裁があるということ」を挙げたうえで、それらは、「あなたと話をしていても、あの隅あたりでだれかが聴いていて、あれあんな心にもないことを言ってる、と言われたんじゃやたまらんという」心持ちによって支えられているのだ、と。あの「あの隅あたりで」あなたを見たり、聴いたりしているのが祖霊である。あるいは、「気がとがめる」という感覚も祖霊のまなざしを前提にしている。それは、「自分の周囲の、自分のことを一番憂えてる人〔つまり祖霊：大澤補足〕が一緒になって気にかけるだろう」という意味だからである。[*3]

このように柳田の考えを解き明かしてみれば、明らかだろう。柳田がいう祖霊は、私たちが〈我々の死者〉と呼んできたものに対応している、と。集合としての祖霊は、家というシステムを支えている〈我々の死者〉である。その願望や期待を前提にしてはじめて、生きている〈我々〉（＝常民）は善きことをなすことができるのだから。柳田が家の存続に強く執着したのはこのためである。家が存続していることが、祖霊が〈我々の死者〉として機能することであり、こうして、家に組み込まれている常民たちは道徳性の基準を得ることができる。

柳田國男の試みは失敗だった

だから、柳田國男の戦争直後の――というより戦争末期からの――仕事である『先祖の話』は、敗戦において失われた〈我々の死者〉を取り戻そうとする試みだった、と見ることができる。彼は、敗戦を迎える前から、日本人が〈我々の死者〉を喪失しかねない危機に直面する、と直観していた。彼は、『先祖の話』を書いて、〈我々の死者〉はなくなってはいない、ということを証明しようとしたのだ。が、結局、柳田の試みは失敗だった。純粋に学問として評価するならば、この本には何の問題もない。しかし、そこに込められていた政治的・実践的な目的との関連では、不発に終わったと見なさざるをえない。失敗の原因は二つある。

第一の原因は、単純な論理的錯誤である。若者たちは、国や天皇のために戦場に赴いたのであって、家のために戦争に行ったわけではない。家のためのみであれば、彼らが、あるいは日本人が、戦争遂行に積極的に同意したかどうかはわからない。戦争の遂行主体も家ではない。それゆえ、死者を家のシステムの中に組み込みうることを示しても、彼らの戦場での死が有意味なものに変わるわけではない。戦争の死者は、戦場に赴いた若者たちの霊はまったく救われてはいない。敗戦によって失われた〈我々の死者〉を取り戻すためには、その死者は、「家」ではなく、「国民」という共同性に準拠したものでなくてはならない。

だが、いずれにせよ、日本の戦後の社会変動は、家のシステムに属する〈我々の死者〉をも破壊してしまった。これが失敗の第二の原因である。戦後の高度な経済成長に伴う社会変動が、家という共同性を形骸化し、解体してしまったのだ。

家の特徴は、通時的には、縁ある具体的な死者（先祖）との交流の場となっていることであり、共時的には、有機的で親密な地縁共同体（村）への参入の単位になっていることにある。つまり、家は、共時的にも通時的にも開かれている。しかし、高度成長とともに大都市に生まれた家族は、この二つの次元に関して閉じている。まず戦後の家族は、先祖へと連なる世代間の結びつきよりも、夫婦（とその直接の子供）の結合を中心におくようになった。そして、地縁的な機能に関しては、家庭それ自体がミニマムな家郷（マイホーム）となり、外部の地縁共同体とのつながりは希薄化した。[*4] 柳田國男の『先祖の話』は、敗戦後ほとんど時をおかずになされた――というより敗戦とほぼ同時になされていた――非常に真摯な「〈我々の死者〉の回復の試み」だったが、空振りに終わった。

2 〈死者〉たちの列伝

歴史観をつくった司馬遼太郎

日本人が〈我々の死者〉を取り戻すことができるとしたら、それは柳田とは別のやり方でなくてはならない。実際、その「別のやり方」に挑戦した者がいる。もちろん、〈我々の死者〉

などという語は用いてはいないが、私たちの観点から捉えてみると、「〈我々の死者〉を回復しようとしていた」と解釈できる仕事に挑戦した知識人がいる。司馬遼太郎である。

司馬のやり方は、柳田とは全然違う。司馬遼太郎の歴史小説について、私たちはこう言うことができるだろう。それは、現実の日本の歴史の中に、固有名をもったものとして具体的に〈我々の死者〉たちを回復しようとするものだった、と。もちろん、司馬が書いたものは「小説」である。それは、実証的な根拠に基づいて主張できる事実だけを記述する歴史学的な研究ではない。が、それは架空の歴史でもない。司馬の歴史小説には、史実に対する強い拘りがある。主な登場人物は——とりわけ主人公は——すべて実在の人物であり、想像力によって補われている部分も、「実際にそうであったに違いない」と思わせるような迫真性がある。

そして何より、司馬遼太郎ほど、日本人の歴史観、日本人の「日本史」観を強く規定した歴史家はいない。日本人の日本史についてのイメージ、日本史についての理解は、多くを司馬遼太郎の小説に負っている。専門の歴史学者の中で、一般人の歴史理解に司馬ほどに広い影響を与えた者は一人もいない。社会科や歴史の教科書を別にすると、司馬遼太郎の多数の小説ほど日本人の歴史理解を規定した書物はほかにないだろう。いや生き生きとしたイメージを伴った理解という点で言えば、彼の小説の浸透度は歴史の教科書すらも超えている。たとえば、坂本龍馬は、日本人に最も人気がある日本史上の偉人の一人だが、もし『竜馬がゆく』が書かれなかったならば、龍馬は「日本人ならば誰もが知っている人物」にはならなかったに違いない。

歴史学者の磯田道史(みちふみ)は、「歴史観をつくった歴史家」なる者がいる、と述べている。歴史観をつくる歴史家とは、その浸透力の強い文章によって、読者を動かし、次の時代の歴史そのものに影響を及ぼす歴史家のことだ。そのような歴史家はごく稀にしかいない。磯田によると、一四世紀にまで遡らなくてはならない小島法師(『太平記』)を別にすると、つまりこの二〇〇年で見ると、歴史観をつくった歴史家は三人しかいない。頼山陽(『日本外史』)と徳富蘇峰(『近世日本国民史』全一〇〇巻)、そして司馬遼太郎である。[*5] 戦後に絞れば、司馬が突出した歴史家だったことになる。

司馬遼太郎の創作動機

司馬遼太郎は、どうして歴史小説を書いたのか。彼の創作を動機づけた原点となる体験がある。それは、彼自身の戦争体験である。司馬は、アジア・太平洋戦争のときに学徒出陣で徴兵され、陸軍に配属された。そして、中国東北部の満洲に送られた。戦争の末期、司馬は、陸軍所属の軍人として満洲にいたのだ。そのときを振り返り、彼はこう述べている。もしソ連がもう少し早く参戦していたならば、自分は「ソ連製の徹甲弾で戦車を串刺しにされて死んでいたはずである」と。[*6] このとき、一兵士としての若き福田定一(ていいち)(司馬遼太郎の本名)は、彼我の軍事力の圧倒的な差を実感している。もちろん、軍事力の差として表れるようなもっと根本的な差が、「彼ら」と「我々」の間にはあったはずだ。そのことを司馬は直観したのだろう。

とりあえず、日本とソ連との間の軍事力の差ということに関して言えば、司馬自身が渦中にいたわけではないが、より歴然と、圧倒的なかたちで現れた出来事がある。「ノモンハン事件」と日本では呼ばれてきた、ソ連・モンゴル連合軍と日本の関東軍との間の軍事衝突である。この事件が起きたのは、一九三九（昭和一四）年五月から九月である。自分が満洲に派遣される四〜五年前に起きたこの事件に、司馬は後年、非常に強い関心を寄せた。満洲に駐留していた関東軍は最強の軍隊であると（もちろん日本で）言われていたが、ノモンハン事件では、全軍人の七割以上が死傷する大敗北を喫した。最新の武器をもったソ連軍に、旧式の武器しかもたなかった関東軍はたちうちできなかったのである。とりわけ、ソ連のBT戦車に、関東軍が所有していた国産戦車は歯が立たなかった。司馬は、国産戦車の弾は、BT戦車にとって「タドン玉を投げつけたほどの効果しかなかった」が、BT戦車は国産戦車の装甲を「やすやすと貫いた」、と書いている。[*7] 司馬は、自らが戦争末期に満洲で感じたことが、ノモンハン事件ではより強調されて現れていると見ていたに違いない。

司馬遼太郎を小説の執筆へと駆り立てていたこと、彼の創作を動機づけていたこと、それは、どうして、昭和初期の日本がこんなにひどい国になってしまったのか、という問いである。彼が戦争末期に直接体験したのは、陸軍という組織の異常な保守性・反動性である。旧態依然のやり方から抜けられず、気づいたときには、ソ連軍にまったく対応できなかった。しかし、問題は陸軍にだけあったわけではない。そのような陸軍を生み出し、その存続を許容していたこの国の全体に、何か根本的な問題、根本的な病理があったはずだ。それは何なのか。そして、その問題を生み出した原因は何だったのか。その解明こそが、彼の歴史小説を支えている根本動機に違いない。

　最終的に書かれるべきは、ノモンハン事件を扱った小説だったはずだ。実際司馬は、この事件についての取材を重ねている。最後にはノモンハン事件の小説を書くべきだという使命感もあったはずだ。

〈我々の死者〉たちの列伝

　したがって、司馬遼太郎の多数の歴史小説に関しては、昭和前半の敗戦へと向かう時間軸の中で、その意味を評価すべきである。司馬が最も多く書いたのは、幕末・明治維新期を舞台とした小説だ。その理由は明らかであろう。この時期に、日本は近代的な国家となる。その近代国家としての日本が最終的に行き着いたのが、あの戦争、あの敗戦である。

　敗戦は、一種の破局（カタストロフィ）であった。何が破壊されたのか。破壊されたそれが生まれたのはいつなのか。破綻したのは近代国家としての日本であり、それが誕生したのは幕末・明治維新期である。それゆえ、幕末・明治維新期において近代国家としての日本の建設に貢献した人、逆に反抗した人、成功した人、途中で挫折した人などが、司馬の小説で描かれることになる。この時期を舞台とする小説の主な登場人物、主人公を挙げてみよう。

坂本龍馬『竜馬がゆく』（一九六三〜六六年）*8
土方歳三（ひじかた）『燃えよ剣』（一九六四年）
徳川慶喜（よしのぶ）『最後の将軍』（一九六七年）
河井継之助（つぎのすけ）（越後長岡藩家老）『峠』（一九六八年）
吉田松陰、高杉晋作『世に棲む日日』（一九七一年）
大村益次郎（近代日本兵制の創始者）『花神』（一九七二年）
西郷隆盛、大久保利通『翔ぶが如く』（一九七五〜七六年）
松本良順、関寛斎（ともに医者）『胡蝶の夢』（一九七九年）

これらがすべてではない。短編小説を含む膨大な作品群を視野に入れれば、このリストをいくらでも長くすることができる。いずれにせよ、さまざまな立場の人物が取り上げられている。

中には河井継之助のような、あまり知られていなかった人物も含まれている。司馬の小説に取り上げられ、ときにそれがドラマや映画にもなったがゆえに広く知られるに至った人物も多い。

この幕末・明治維新期を中心にして、時間軸を前（未来）と後ろ（過去）へと引き伸ばしていくと、司馬遼太郎の小説が成し遂げたことの全貌が見えてくる。過去の側へと線分を伸ばしていったとき、端緒としての意義をもつ作品として『国盗り物語』（一九六五〜六六年）を認めることができる。どうして、この作品が起点なのか。

明治維新において近代国家が建設されるわけだが、それは、江戸の幕藩体制を基礎にし、その幕藩体制を「克服する」というかたちで実現される。とすれば、幕藩体制がどのようにして築かれたかが、明治維新期を描くための前提としての意味をもつ。幕藩体制を築いたのは、徳川家康である（『関ヶ原』〈一九六六年〉が、石田三成と家康を描いている）。家康の事績は、豊臣秀吉のなしたことを引き継ぎ、奪い取ることで実現した（『新史太閤記』〈一九六八年〉はタイトルからすぐにわかるように秀吉を主人公とした作品だ）。そして、秀吉の前提になっているのは、言うまでもなく織田信長である。

『国盗り物語』の主人公は、斎藤道三と織田信長である。道三は、信長が生まれるための触媒のような役割を果たした。このように、明治維新期の近代国家の建設にあたって、その克服の対象となった政治的実体（幕藩体制）のさらなる源泉には、戦国時代を終わりへと導いた織田信長がいた。司馬遼太郎の小説は、このような歴史認識を提示したことになる。[*9]

では、時間軸を、逆に明治維新期から未来へと引き伸ばしたらどんな作品があるのか。その代表作が『坂の上の雲』（一九六九～七二年）である。この小説は、二〇〇〇万部以上売れたとされており、司馬作品の中では、二五〇〇万部以上の売り上げがあった『竜馬がゆく』の次に読まれている。『坂の上の雲』は、日露戦争勝利までの明治期の日本を描いた作品だ。主人公は、日本海海戦でバルチック艦隊の迎撃に功績があった秋山真之（さねゆき）、その兄で、日本陸軍の騎兵部隊の創設者秋山好古（よしふる）の二人であり、ここに彼らと同郷（伊予国松山）で真之と親友でもあった正岡子規が絡んでくる。三人の中でも真之が特に重視されている。

司馬遼太郎の小説の中に登場する人物たち、とりわけ主人公やそれに準ずる立場にある者として描かれた人物たち、つまり斎藤道三、織田信長から始まって秋山真之に至る、ここに名前を挙げた人物たち、彼らこそ司馬が発掘した、日本人にとっての〈我々の死者〉たちである。彼らは小説の中で全面的に賞賛されているわけではない。その弱点ははっきりと指摘され、欠点は批判もされている。また、まったき成功者はほとんどいない。ほとんどの人物が途中で挫折し、ときに殺されたりしている。が、欠点や失敗も含めて、後続の世代は、彼らを継承した。「あの欠点を克服しよう」とか、「果たされなかった願望を引き継ぎ、実現しよう」とか、といったかたちで、である。その意味で、司馬作品の主人公たちは、後続世代によって広い意味で肯定され、そのことにおいて、後続世代に行動の指針を与えている。要するに彼らは、後の日本人にとって〈我々の死者〉だった。司馬遼太郎の小説群は、〈我々の死者〉たちの列伝である。

青みどろの異胎

しかし、すぐに気づくだろう。幕末・明治維新期を中心に前後に伸びている線分の、前（未来側）の方が、空白のままになっている。線分は、ノモンハン事件をその中に含む昭和の戦争の時点を到達点としている。しかし、日露戦争のあとからアジア・太平洋戦争までの区間を埋める小説は一つもない。しかし先に述べたように、本来はそこにこそ、書かれるべきことがあった。他の小説は、そこに入るべき不在の小説を準備するものだった、とさえ言える。司馬遼太郎の究極の目標は、ノモンハン事件を主題とする小説だったはずではないか。しかし、そのような小説は書かれなかった。

司馬の小説の中で、最も新しい時代を主題とした作品が、結局『坂の上の雲』となった。では、それ以降の時代、昭和を含む期間について司馬遼太郎は何も書かなかったのか。そんなことはない。戦争を含む昭和の前期について、彼は、批評やエッセイをたくさん書いている。その代表が、一九八六年から八七年にかけてＮＨＫの番組で語ったことをまとめた『「昭和」という国家』である。『この国のかたち』としてまとめられている膨大なエッセイ集の中にも、昭和を論じたものが含まれている（たとえば「統帥権」）。だから、司馬が昭和とその時期の戦争についてまったく沈黙していた、というわけではない。むしろ、雄弁に語ったと言ってもよいくらいだ。ならば、小説こそ書かなかったとはいえ、昭和について考察し、書いたのだから、それで十分だった、と考えてよいのではないか。司馬遼太郎は本来の目的を果たした、と見なしてよいのではないか。そうではない。

小説を書かなかった、小説としては書けなかったということには由々しき意味がある。どうして司馬遼太郎は、昭和の初期――厳密には日露戦争のあとの時代――を主題とする小説を書くことができなかったのか。歴史小説を書くためには、そこから同時代を体験し、そこから同時代を見ていると想定される視点を有する人物を、歴史の渦中に見出さなくてはならない。たとえば、『坂の上の雲』は秋山真之（や好古、正岡子規）の視点から、日露戦争の戦勝までの明治期を描く。この視点を有する人物は、小説の全体を通じて、基本的には肯定される。その人物がいかに欠点多きダメな人物として描かれようと、またどんなに失敗を重ねたとされようとも、まさにそこから歴史が見られている内在的な視点として設定されたことにおいて、この人物は、最も基底的な部分で肯定されたことになる。小説として書くことができなかったということは、昭和に関して、あるいはノモンハン事件に関連する人物の中に、そのような視点を設定するにふさわしい者を見出すことがどうしてもできなかった、ということを意味している。

そのような視点を有する人物は、歴史小説の読者にとっては、〈我々の死者〉として意味づけられる。また、その人物は――司馬が物したような列伝の中におかれたときには――、彼または彼女に先行する世代に属する〈死者〉の思いを承けていると解釈される。したがって、私たちとしては、こう結論せざるをえない。司馬遼太郎は、歴史小説を通じて、柳田國男とはまったく異なったやり方で、日本人にとっての〈我々の死者〉を回復しようとしたわけだが、その試みはついに成功しなかった、と。私たちは、アジア・太平洋戦争の敗戦へと向かう期間に、日本人にとっての〈我々の死者〉との断絶があった、ということを繰り返し指摘してきたが、司馬遼太郎の小説群がこのことをあらためて証明している。

　この断絶を、司馬自身が明確に自覚していた。〈我々の死者〉を充塡することができない空白の期間を、司馬は「異胎（あるいは鬼胎）の時代」と呼んでいる。異胎（鬼胎）とは、自分の子なのに自分に似ていない子、自分の子とはとうてい思えない子のことである。『この国のかたち』に収録されたエッセイの中に、次のような寓話が語られている。夢なのか現なのかよくわからないが、書き手（司馬）は不意に浅茅ヶ原に出てしまった。そこに巨大な青みどろの不定形なモノが横たわっている。金色に光る眼をもち、口中の牙は折れている。どうやら生き物らしい。書き手が、君はなにかね、ときいてみると、驚いたことにその異胎は、声を発した。「日本の近代だ」というのである。

ただしそのモノがみずからを定義したのは、近代といっても、一九〇五年（明治三十八年）以前のことではなく、また一九四五年（昭和二十年）以後ということでもない。その間の四十年間のことだと明晰（めいせき）にいうのである。つまりこの異胎は、日露戦争の勝利[10]から太平洋戦争の敗戦までの時間が、形になって、山中に捨てられているらしい。

（中略）

「君は、生きているのか」

「おれ自身は死んだと思っている。しかし見る人によっては、生きているというだろう」[11]

司馬遼太郎はどうしても書かなくてはならなかった時代に関してだけは小説にすることができなかった。〈我々の死者〉の一例とすべき人物を見つけることができなかったからだ。見つかったのは、青みどろの奇怪な異胎だけだった。それを、我々の先祖の系列の中に認めることはどうしてもできない。それは、〈我々〉の遠い祖先の子ではありえないし、また〈我々〉の〈親〉たちの系列の中にいるとも思えない。司馬遼太郎にはそのように見えていた。だがそうだとすると、逆にこう言うこともできるはずだ。もし異胎の時代を、たとえばノモンハン事件を小説として書くことができたとしたらどうか。そのときには、〈我々の死者〉を真に回復したことになるのではあるまいか。〈我々の死者〉を見出したことになるのではあるまいか。

3　虹色のユートピア

〈真実〉はフィクションの構造をもつ

司馬遼太郎は、現実の日本の歴史の中に、〈我々の死者〉の系列を、具体的な固有名を特定できる人物たちとして見出そうとした。だが、それを完遂するまでには至らなかった。最も肝心な部分を埋めるべき小説を書けなかったからである。

司馬は、織田信長に始まって、日露戦争の英雄である秋山真之にまで至る〈死者〉たちの系列を、歴史小説の主人公というかたちで提起した。しかし、日露戦争の英雄と、アジア・太平洋戦争後の〈我々〉の間に空隙ができてしまった。司馬遼太郎が見出した〈死者〉たちの系列と現在の〈我々〉はつながってはいない。この間の日本人を主人公とする小説を彼は書くことができなかった。とりわけ、司馬遼太郎は、ノモンハン事件をめぐる小説を書くことができなかった。日露戦争の勝利からアジア・太平洋戦争の敗北までの期間に、そこから同時代を体験していると想定できる視点を有する人物がいないのだ。

司馬には果たせなかった。しかし、司馬に代わって、それを実現した人はいなかったのか。司馬の仕事を継承した、などという意識をもっている必要はまったくない。客観的に見て、司馬遼太郎がなすべきだった（のになしえなかった）ことを実行し、それに成功した人はいなかったのか。要するに、ノモンハン事件やその周辺を扱った、歴史小説的な作品を書いた人、書くことができた人はいなかったのだろうか。ノモンハン事件を題材とした歴史小説的なフィクションを書くことができれば、日本人のために〈我々の死者〉を回復したことになる。

ここで留意すべきは、それはある種の「フィクション」でなくてはならない、ということだ。時代の〈真実〉を表現しようとするフィクションである。自由な想像や空想だけで描くフィクション、たとえばファンタジーのようなものでは、この場合はダメである。フィクションではあっても、リアルでなくてはならない。つまり〈真実〉に執着するフィクションでなくてはならない。ここで〈真実〉と呼ぶのは、主体化された事実ということだ。ある出来事が、その出来事の渦中にあった主体にどのように体験されたかということ、さらに読んでいる現在の〈我々〉が、その主体に同一化した上で、その主体の体験や願望や使命を継承したいという欲望を喚起されること、これらが、ここで求められている〈真実〉としてのフィクションの要件である。

したがって、実証的な歴史研究のようなものだけでは不足である。実際、たとえば半藤一利の『ノモンハンの夏』のようなノモンハン事件がどのような経緯を辿ったかについての優れた実証研究はある。そのような研究によって事実が確定されなくては、〈真実〉をフィクションとして描くこともできないことは確かである。だから、歴史研究は、ここで求めているフィクションにとって必要条件である。しかし歴史研究は、十分条件ではない。たとえば、昭和一四(一九三九)年五月一一日の朝、モンゴル軍およそ七〇〇名がハルハ河を渡河し、在ハイラル満洲軍約三〇〇名がこれに応戦したという事実が判明しただけでは足りない。

ノモンハン事件については、伊藤桂一による『静かなノモンハン』という「小説」がよく知られている(一九八三年発表)。だが、この小説は、ここで私たちが求めているタイプのフィクションではない。なぜかと言えば、この作品は、基本的にはノモンハン事件に軍人としてかかわった三人の人物の証言を採録したものであり、ほとんど「ノンフィクション」だからである。〈我々の死者〉というコンテクストから独立に見れば、この作品の価値は大きい。ノモンハンでの戦いが軍人たちにどう体験されたか、迫真性をもって具体的に記述されているからだ。が、現代の日本人が、ここに〈我々の死者〉を見出すことないだろう。現在の〈我々〉は、このノモンハンの体験者の思いを継承したいと思うわけではないからだ。

この作品を収録した初版本にも文庫本にも、伊藤と司馬との対談が付載されている。興味深いことに、この対談の中で伊藤の「司馬さんが〔ノモンハンのことを:大澤補足〕お書きになれば、司馬さん独自のノモンハン観というものが出て、それは、読む人にとって大変参考になるものだと思います」という問いかけに、司馬は「しかし、死ぬまで書くことがないかもしれません。統帥部のあまりの愚行と現実のあまりの凄惨さについて、どういう鍵を用意していいのか」と応じている。[*12] ノモンハンは、司馬が考えるような歴史小説にはなり難いこと、伊藤の『静かなノモンハン』もそのようなタイプのフィクションではないことが、ここで暗に示されている。

ゆえに、〈我々の死者〉を回復するためには、フィクションが必要になる。精神分析学のジャック・ラカンは、〈真実〉はフィクションの構造をもつ、と述べているが、そのような意味でのフィクションが必要だ。〈真実〉を描くために、事実が強調されたり、事実の未確定部分をさまざまな創作された挿話で埋めたり、実在しなかった人物を登場させたり、といったことは当然ありうる。司馬遼太郎の歴史小説もそのような工夫がいくらでもなされている。が、「実際はまさにそのようであったに違いない」と私たちに納得させる信憑性が、そのフィクションには宿っていなくてはならず、そしてその中の人物、とりわけ主人公を通じて、読者である〈我々〉自身が主体化されなくてはならない。

ノモンハンを描いた有力なフィクションはあるだろうか。私にはすぐに二つの作品が思い浮かぶ。先に述べておく。それらの作品はともに傑作である。私も非常に好きな作品だ。そして、ポピュラーな作品、つまりかなりの数の読者を獲得した作品でもある。しかし、ここでの関心は、美的な享受の対象としての作品の価値、つまり作品の芸術的な価値にあるわけではない。

ここで問いたいことはただ一つ。それらの作品が、現代の日本人にとって有意味な〈我々の死者〉を見出したことになっているかどうか。これだけである。

あれは〈我々〉ではない

一つは、小説ではなくマンガだ。安彦良和の『虹色のトロツキー』である。[13] この作品は、まさしくノモンハン事件をクライマックスとしている。物語は、昭和一三年六月、ノモンハン事件が勃発する一年ほど前から始まる。そして、ノモンハン事件と呼ばれる軍事衝突が終わるまでが描かれる（最後に、作者の「現在」についての小さなエピソードが付いているが）。物語の主要な舞台は、満洲国である。作品は、一九九〇年から九六年にかけて月刊誌に連載された。つまり六年かけて描かれた長編マンガである。

かなり史実に忠実に描かれている。登場人物の多くが実在の人物である。陸軍少佐の辻政信。満洲事変を立案・実行した関東軍参謀副長だった石原莞爾。建国大学副総長の作田荘一。のちの首相で陸軍中将の東条英機。川島芳子。李香蘭。満洲国軍少将のウルジン。等々。

昭和初期の満洲の様子を、建国大学——満洲国の首都新京（現・長春）にあった国立大学——を機軸においた人間関係を中心に、きわめてリアルに描いており、専門家からの評価も高い。

が、ここでは、この作品の筋の細部は検討しない。私たちにとって肝心な問いに対する答えは、こうなる。このマンガは、戦後の日本人にとっての〈我々の死者〉を見出したことにはなっていない。つまり、ここには、戦後の日本人が、その意思や願望を引き継いでいるとの自覚をもつことができるような〈我々の死者〉はいない。「我々の」というかたちで、現代の日本人が同一化できるかが重要である。

なぜか。重要な登場人物の半分以上が実在の人物だが、主人公に関してはフィクションである。歴史上の実在の人物ではないからといって、〈我々の死者〉の表象になりえないわけではない。だが、作品の主人公ウムボルトは、日本人ではないのだ。父が日本人で母が蒙古人（モンゴル系）である。ウムボルトが、建国大学に編入するところから物語は始まるので、大学生くらいの年齢の青年である。

単に血統的に純粋な日本人ではない、というだけではない。ウムボルトは、精神的にも日本人に共感できない。満洲での日本人の態度には批判的であり、関東軍のやり方にも強く反発している。最終的にはノモンハン事件において、関東軍とともに、ソ連と外蒙古の連合軍と戦うことになるのだが、そのときにも、日本の軍隊ではなく、興安軍（モンゴル人によって構成された部隊）の所属にこだわり、そして、何もない草原での国境紛争というノモンハン事件の無意味さ、虚しさもよく自覚している。

ウムボルトに託されている思想は何であろうか。ウムボルトは、満洲国における日本の実質的な植民地支配に反抗する蒙古ナショナリズムを代表しているのかと言えば、それも単純過ぎる。では何か。『虹色のトロツキー』というタイトルに作者が込めた意味がヒントになる。

トロツキーが登場しないのに、タイトルにその名があるのは、「トロツキー計画」なる――実際には存在しなかった虚構の――プロジェクトが、物語を展開させるエンジンになっているからだ。「トロツキー計画」とは、建国大学の教官としてトロツキーを招聘しようという計画で、登場人物たちは、この計画にさまざまな謀略的な意味を読みとり、これを推進しようとする者と阻止しようとする者とが攻防を繰り返す。ウムボルトは、幼い頃、トロツキー（らしき人物）と会ったことがあったために、この攻防に巻き込まれるのだ。

「トロツキー」に「虹色の」という形容詞を付けたとき、作者は、謀略的な意味を超えた、真の――あるいは本来の――トロツキー計画のようなものを思い描いていたのではなかろうか。トロツキーは、スターリンの一国社会主義を批判し永続革命論を唱えた革命家として知られている。また「虹」は、今日、多文化主義が唱えるような文化的・民族的な多様性の象徴である。

このことから示唆されるように、そしてまたマンガの中でのウムボルトの言動がはっきりと示しているように、この人物に託されているのは、アジアの諸民族の平和的な共存や協和である。「五族協和」は、満洲国の理念を表すスローガンだが、これがまったくの偽善であって、実質的には、満洲国にあったのは、日本人による他の諸民族の支配、他の諸民族の搾取であった。ウムボルトは、実質的・実効的な五族協和を理想とし、その実現を願っていたと解釈することができる。

重要なことは、そのような理想を体現する人物を造形したとき、その人物は、どうしても日本人ではない者とせざるをえなくなる、ということだ。『虹色のトロツキー』は、司馬遼太郎が書けなかったノモンハン事件をめぐるフィクションとして成功しているフィクションとなっている。そのようなフィクションとして成功していることを通じて、『虹色〜』は司馬遼太郎の挫折をもたらした要因を別のかたちで証明している。ノモンハン事件を描くための日本人の主人公を設定することは不可能だ、と。

ウムボルトに共感する現代の日本の読者はたくさんいるだろう。私もそうである。しかし、そのウムボルトに、〈我々の死者〉を見るとしたら、ウムボルトこそ我々日本人の父祖たちの真の姿であった、と読むならば、それは、とてつもない欺瞞になる。逆に、我々の祖先はウムボルトではなかった、ウムボルトにはなりえなかった、と解釈しなくてはならない。我々はウムボルトではなかった。これに痛恨を覚えること。これがこのマンガの教訓である。

実在しない都市で

もうひとつの作品は、つい最近の作品だ。小川哲(さとし)が二〇二二年に上梓した長編小説『地図と拳』である。[*14] この小説は、ノモンハン事件を描いたものとは言えない。ノモンハン事件のことは、作中で言及はされるが、実質的な描写はない。が、別の意味で、私たちのここでの考察にとって興味深い。この作品は、『虹色〜』と違って、長い期間を扱っている。日露戦争の直前の時期から、アジア・太平洋戦争が終わるとき（一九四五年夏）までである。*15 中心的に叙述されるのは、昭和初期以降の満洲での出来事ではあるが、物語は日露戦争の少し前から始まる。ということは、この作品が扱っている時間幅の中に、司馬遼太郎が「異胎の時代」と呼んだものがすっぽりと収まっていることになる。司馬が青みどろしか認めなかったこの時代に、〈我々の死者〉を見出すことはできるか。

『地図と拳』も、基本的には史実に沿って展開する。主人公はどうなのか。『地図と拳』には、厳密な意味での（単一の）主人公なるものは存在しない。これは、完全な群像劇である。章ごと、パートごとに異なる人物の視点から事態が描かれており、主人公がたくさんいるのだ。たくさんの主人公のうちの大半は日本人だが、中国人やロシア人もいる。

しかし、多数の主人公の重要度は、完全に横並びというわけではない。二人が突出して重要である。最も重要なのは、「細川」という男である。細川の素性は実はよくわからない。小説の冒頭では、ロシア語ができる通訳として登場する。細川に関しては、詳しい経緯が記されないまま、いつのまにか昇進し、日本政府や関東軍の決定に対してもある程度の影響力を行使できるフィクサーのようなものになっていく。細川は、物語の最初から最後まで消え去ることなくいつづける唯一の人物である。

次に重要なのは、「須野明男」という若い建築家。明男は物語の中盤に登場し、後半の満洲国の都市建設との関係で重要な役割を果たす。細川は、明男の保護者のような立場にある。細川は政治的な人物として描かれている。いずれ自身の政治的な理想を実現しようと、さまざまに暗躍している。たとえば「戦争構造研究所」なる組織を立ち上げ、軍人を含む腹心の満洲関係者を集め、仮想内閣をつくって、彼らに戦争や国の将来について議論させたり、研究させたりしている。明男は政治には無関心だ。明男の情熱は、ただひたすら、理想の都市を建設することに向けられている。

さて、『地図と拳』の中に、現代の日本人は、〈我々の死者〉を見出すことができるだろうか。たとえば、細川をそのような人物と見なすことができるだろうか。『虹色～』では、ウムボルトは、現在の日本人から〈我々の死者〉と見なされることを拒否するような人物として造形されていた。ウムボルトは日本人ではないし、そう見なされることを拒否していた。しかし、細川は日本人であり、愛国者だ。ならば、戦後の日本人は、彼に〈我々の死者〉を見ることができるのではないか。

だが、それはできない。細川のような人物が戦前の日本人にいたかもしれない、と思わせるものがまったくないからだ。対応する実在の人物が見当たらないと言っているのではない。歴史についてのリアリズムが、細川の実在を許さない。細川にとっての政治的理想とは何か。細川は、当時の日本政府や関東軍とその目的を共有してはいない。というより、それとまったく反することを理想としている。つまり、彼は、満洲や中国を帝国主義的に支配したいと思っているわけではない。彼の理想は、ウムボルトのそれと似ている。それは、多民族の平等な共存や協和である。そのような理想をもった行動力のある民間人が、昭和初期や戦中の日本において、軍人や政治家に影響力をもつフィクサーとして活躍できただろうか。不可能である。

もっとも、このことは、作者（小川哲）も十分に自覚している。自覚した上で、積極的に作品を構築する装置として活用しているのだ。そのことを示すのが、小説の最も重要な舞台となっている李家鎮（リージャジェン）という満洲の都市である。小説に登場するほとんどの土地や場所が実在のものである。しかし、李家鎮だけが純粋な仮構、実在しない街だ。つまり、それは文字通りのユートピアである。明男は李家鎮を理想の都市にしようと企てる。細川の政治的理念が実現すべき場所も、李家鎮だったはずだ。李家鎮の非実在性は、細川（そして明男）の非実在性の客体的な相関物である。実在しない人物の夢は、実在しない空間で実現されるしかない。

関東軍と戦う「日本人」

もうひとつ、満洲を舞台とした、さらに新しい作品――というよりまだ完結していない作品

――を挙げておこう。二〇二〇年にウェブ上で連載が始まり、その後、週刊マンガ雑誌（『ヤングマガジン』）に発表媒体を変え、まだ連載が継続しているマンガ『満州アヘンスクワッド』（原作・門馬司、画・鹿子）である。[*16] このマンガも非常に人気があり、実際におもしろい。作者の物語を創作する能力は高い。

このマンガの主人公は日方勇という、家族（母と弟・妹）とともに満洲に移住してきた純朴で優しい日本人の青年である。彼は、人並はずれて敏感な嗅覚を有し、異様に純度の高い――ゆえに極端に効果が大きい――阿片を精製する能力をもつ。彼は、偶然に出会った中国人女性、日本人孤児、モンゴル人青年等と意気投合し、彼らと手を組み、密造した阿片を売ることで、富を蓄積していく。その過程で、日方たちは、同じように阿片を密売することで資金を得ていた――つまり日方たちと利害が対立する――、現地の日本軍（関東軍）や青幇（中国の闇の秘密結社）などと戦う。これが物語の骨格である。

日方という人物も、阿片の密造・密売に協力した彼の仲間も完全な創作物であって、それに対応する人物やグループがかつての満洲に実在したわけではない。だが、このマンガは、歴史的事実とまったく無関係というわけではない。実際に、関東軍をはじめ中国大陸に派遣され、駐留していた日本軍は、青幇・紅幇など現地の闇社会の組織と協力したり、競合したりしながら、阿片や麻薬の密貿易・密売買で資金を作っていた。[*17]『満州アヘンスクワッド』の作者たちの想像力は、この事実に触発されたと考えられる。

ならば、このマンガの主人公たち、つまり日方勇と彼の仲間たちは、現代の日本人にとって、〈我々の死者〉の存在を連想させる手がかりとなるだろうか。なりえない。かつて満洲に日方のような人物がいたかもしれない、とは思えないからだ。のみならず、このマンガは、私たちの考察にとって興味深い特徴を有している。「日本人による阿片の密造と密売」という歴史的事実に着眼してフィクションを創造したとき、造形される主人公は、現実に阿片に関わっていた当時の日本人と似ていないというだけではなく、そのような日本人を敵と見なし、彼らと戦う人物になってしまうのだ。この点をごくかんたんに解説しておこう。

そもそも日方勇は、どうして阿片の密造・密売に手を染めるのか。その理由にはいささかも、現在の〈我々〉、現在の日本人につながるような大義は含まれていない。彼は、まったく個人的な動機から、阿片の密造に勤しむ。彼は、自分たち家族が日本に帰り、そして幼い妹と弟が学校を卒業するまでの生活費を稼ぐために、高価な阿片を造る。

しかし、日方と一緒に阿片を売る仲間たちには、それぞれ異なる動機や事情があったがために、グループとしての動機は、日方の個人的な事情を超えていく。そして何より、彼らは、阿片をめぐってライバル関係にある関東軍や青幇と命がけの戦いをせざるをえない。するとどうなるのか。日方たち「アヘンスクワッド」は、中国や満洲の貧しい庶民を抑圧し、搾取している者たち——その中にもちろん関東軍をはじめとする日本軍がいる——と戦う義賊のようなものになってくるのだ。

当時の満洲で阿片に関わる仕事に従事した日本人として、最もありそうなのは、歴史研究が教えるように、例えば関東軍の特務機関の工作員であろう。しかし、満洲で阿片に携わった魅力的な日本人を想像すると、逆にそのような工作員にとっての敵対勢力になってしまう。このことが、現在の日本人が、満洲の〈我々の死者〉を見出すことの困難をよく示している。〈我々の死者〉として思い描こうとした人物は、現実の過去の日本人と敵対したであろう非現実的な人物になってしまうのだ。原作者の門馬司は、阿片を密売した日本軍を過剰に「悪」と捉えるような単純化は避けたいと、あるインタビューで語っている。[*18] しかし、それでも、このマンガは、満洲で阿片を密造・密売する、正義の日本軍人や軍協力者を描いているわけではない。主人公たちの「善性」や「正義」は、彼らが日本軍に与(くみ)していないこと、むしろ日本軍とは敵対関係にあることによって維持されている。

＊

したがって、『虹色のトロツキー』も『地図と拳』も、そして『満州アヘンスクワッド』も傑作だが、「異胎の時代」を埋める〈我々の死者〉を見出すことにはなっていない。いずれの作品でも、主人公（ウムボルト、細川、日方）は、戦後日本の現在の（あるタイプの）価値観を体現しているか、あるいは少なくとも現在の日本人にとっては魅力的な人物に見える。しかし、そのような人物を異胎の時代に投げ込むと、リアリティの調和が崩される。その不調和を消すためには、工夫が必要になる。

その人物は日本人ではなかった、とすればリアリズムを裏切らない物語を構成することができる（『虹色のトロツキー』）。あるいは、その人物の欲望が向かうその先には、非現実の空間を置く（『地図と拳』）。さらには、その人物は、現実の満洲の日本人支配者と敵対していたと想像する（『満州アヘンスクワッド』）。いずれにせよ、これらの作品が教えることは、異胎の時代の死者と現在の我々との間の非連続性である。その時代に、〈我々の〉と呼びうるような死者を見出すことは、現在の日本人には難しい。〈我々の死者〉を取り戻すことは、結局、不可能なのか。

＊1　柳田國男「八一　二つの実際問題」『先祖の話』角川ソフィア文庫、二〇一三年。

＊2　同「六三　魂昇魄降説」。

＊3　「日本人の道徳意識」宮田登編『柳田國男対談集』ちくま学芸文庫、一九九二年。柳田國男と桑原武夫のこの対談は、昭和三三（一九五八）年に行われた。

＊4　高度成長を通じて、家は消えると同時に回帰もした。すなわち、家の組織原理、つまり家の形式は、高度成長期の日本では、会社において再現されたのだ（公文俊平・佐藤誠三郎・村上泰亮『文明としてのイエ社会』中央公論社、一九七九年）。しかし、「家」としての会社は、普通

は、祖霊にあたるような〈我々の死者〉をもたない。会社では、せいぜい創業者の遺志が尊重されているだけだ。会社は、十分な歴史的深度をもった〈死者〉を伴ってはいない。要するに会社は、〈死者〉なき家である。ゆえに、その擬制の家は、柳田が本来の家に期待していたほど包括的な道徳的機能を果たすことはなかった（会社に忠実でまじめなサラリーマンを生んだが、会社の外での活動においても有効であるような道徳性の基盤をもたらさなかった）。もっとも、経営コンサルタントでもある哲学者の山口周氏によると、日本の大企業の中には、在職中に亡くなった社員を——神社などを造って——祀るケースもあるという。こうしたケースでは、会社はますます、祖霊のいる本来の家に接近している。が、いずれにせよ、高度経済成長が終わったあと、その「家としての会社」すら、次の二つの意味で、急速に衰退した。第一に、いずれかの会社の社員でもある個々の日本人のアイデンティティにとって、その「社員であること」の意味が大幅に低下したこと。第二に、非正規雇用や個人事業主（という名の不安定労働者）など、会社のメンバーとして完全に承認されていない労働者が増加したことである。

＊5　磯田道史『「司馬遼太郎」で学ぶ日本史』ＮＨＫ出版新書、二〇一七年。

＊6　司馬遼太郎「一、4〝統帥権〟の無限性」『この国のかたち』文藝春秋、一九九〇年。

＊7　同前。日本の国産戦車は、敵もまた戦車である、ということを想定していない。

＊8　以下、司馬作品に付せられている数字は、単行本の発行年。雑誌や新聞に発表された年はそれより前になる。

＊9　司馬遼太郎の小説には、織田信長よりももっと古くに遡った時代や人物を描いた作品もある。

たとえば、義経や空海が小説の主人公になっている（『義経』『空海の風景』）。しかし彼らは、明治維新期を中心に前後に伸びる線分に、直接的につながってはいない。ここでは、彼らは周辺的なものと見なしてよいだろう。中国史が主題になっている『項羽と劉邦』（一九八〇年）も、同じような理由から、私たちのここでの考察からは除外される。

＊10 異胎の開始は、厳密に言うと、ポーツマス講和条約の結果に憤慨した民衆が起こした暴動、つまり日比谷焼打事件（一九〇五年九月五日）である。

＊11 司馬遼太郎「一、3〝雑貨屋〟の帝国主義」『この国のかたち』。

＊12 伊藤桂一『静かなノモンハン』講談社文芸文庫、二〇〇五年、二四〇頁。

＊13 安彦良和『虹色のトロツキー』全八巻、潮出版社、一九九二〜九七年。

＊14 小川哲『地図と拳』集英社、二〇二二年。

＊15 最終章に、戦後一〇年を経過したときの話が入っているが、それは「後日談」のようなものなので、ここではカウントしない。

＊16 門馬司原作・鹿子画『満州アヘンスクワッド』既刊一五巻、講談社、二〇二〇年より。

＊17 小林元裕『近代中国の日本居留民と阿片』吉川弘文館、二〇一二年。小林元裕「裁かれた日本のアヘン・麻薬政策」『アヘンからよむアジア史』内田知行・権寧俊編、勉誠出版、二〇二一年。

＊18 朝日新聞編集委員永井靖二による門馬司へのインタビュー「『アヘンスクワッド』原作者が語る「満州」取り上げたい史実がある」朝日新聞デジタル、二〇二三年七月一五日。
https://digital.asahi.com/articles/ASR7D45W7R7CPTIL012.html?iref=pc_ss_date_article

第6章　スロウ・ボートは中国に着いたか

1　中国行きのボートは遅い

失踪した妻を捜す物語の中に

だが実は、現在の価値観や美意識をそのまま体現する人物を投げ入れることなく、ノモンハン事件と称されている戦争を小説として書いた（日本人の）作家が、管見では、一人だけいる。[*1]安彦良和も、また小川哲も、門馬司も、司馬遼太郎とは違って戦後の生まれであったが、その作家も戦後生まれで、ノモンハン事件はもちろんのこと、戦争そのものを直接経験してはいない。だが、彼はノモンハン事件や、満洲での関東軍の戦いのことを小説として書いた。その作家とは村上春樹である。[*2]

村上春樹の長編小説『ねじまき鳥クロニクル』の中に、ノモンハン事件に関する物語が組み込まれている。この小説の第一部と第二部は一九九四年に発表され、その一年余り後に第三部が出された。[*3]この小説の主筋は、主人公の「僕」（岡田亨）が失踪した妻クミコを捜す物語である。「僕」は最終的に、クミコをめぐって——クミコを取り戻すために——、クミコの兄で政治家の綿谷ノボル（昇）と対決しなくてはならなくなる。この主筋と並行するもうひとつの筋として、ノモンハン事件や満洲での戦争の物語が入っている。しかし、それは片手間の脇筋とは見なし難い。それはかなり長く、複雑でもあり、主筋とあまり変わらない重さを感じさせる。『ねじまき鳥クロニクル』は、ほとんど重要度の差がない二つの物語の合成の産物だと見るべきだろう。

二つの物語を並行して走らせるのは、村上春樹の得意とする手法だ。この書き方は、『世界の終りとハードボイルド・ワンダーランド』（一九八五年）で初めて採用された。だが『世界の終り〜』では、二つの物語はほんとうにほぼ無関係に交互に展開していき、結末で突然、ＳＦ的な理由づけによって結びつくようになっていた。『ねじまき鳥クロニクル』は、もっと自然なやり方で、二つの物語が関係づけられている。主筋の中に、どのようにノモンハンの物語が収まるのか。次のように説明されている。

クミコの両親はもともと、「僕」とクミコの結婚に反対だった。「僕」が、地位も金も家柄もなく、そして学歴もぱっとしなかったからだ。しかし、クミコの両親が全幅の信頼を寄せている神がかりの占い師・本田さんの一言で、二人の結婚が認められた。そのとき、一つの条件が課せられる。二人で月に一度、本田さんの家を訪問しなくてはならない、と。その本田さんが、ノモンハンでの戦争の生き残りだった。このようなかたちで、ノモンハン事件との接点が設定される。

やがて本田さんが死ぬ。そのとき、本田さんが「間宮（まみや）中尉」に残していた遺書が理由になって、「僕」は間宮中尉と会うことになる。間宮中尉は、ノモンハン事件のときに本田さんと行動をともにした仲間である。本田さんのねらいは、間宮中尉の口を通じて「僕」に、間宮中尉が蒙古で体験したある出来事について伝えることにあった。間宮中尉は、本田さんを含む仲間と一緒に行った「工作活動」（とおぼしきこと）について語る。その長い話の最後の方に、井戸をめぐるエピソードが入る。間宮中尉は、一人で飛び込んだ水のない井戸の中で、神秘的なことを体験したのだ。

こんなかたちで、小説の中にノモンハン事件に関係する物語が組み込まれる。村上春樹は、司馬遼太郎のような「歴史小説」を書こうとはしていないので、史実への拘りをもってはいない。本田さんも間宮中尉も実在の人物ではない。しかし、注意すべきは、この小説に含まれているノモンハンや満洲に関する物語は、村上小説によくあるファンタジー的な虚構とは違う、ということである。村上春樹は、参考文献を通じてノモンハンの軍事衝突などについてよく調べた上で、これらの部分を書いていることがわかる。村上春樹にしてはめずらしいほど、事実に忠実であろうとしているのだ。間宮中尉と本田さんが加わった外蒙古への工作活動に関しても、これと似たような事件が――時間や場所こそ異なるが――、実際にあったらしい*4。

それだけではない。ノモンハン事件に関係するエピソードは、単純なリアリズムという点で事実から逸脱している部分も、ファンタジーのようなタイプの虚構へと向かおうとしてはいない。それは――ここではまだ小説の中の叙述を直接引用して確認はしないが――、ジャック・ラカンだったら「現実界」と呼ぶような「現実以上の現実」に触れようとしている。文芸批評家の高原到（いたる）は、『ねじまき鳥クロニクル』の戦争についてのエピソードを、のちの村上作品――『海辺のカフカ』や『騎士団長殺し』――に登場する戦争に関連したエピソードと比較し、後者は虚構を創出しようとしているのに対して、前者は「『物自体』たる戦争の現実（リアル）を触知しようとしている点で（中略）根本的に異なっている」と論じている。[*5]

司馬遼太郎は、ノモンハン事件を小説に書くことはできなかった。それこそが、究極の目的だったはずなのに、あれほどたくさんの歴史小説を書いたこの作家が、それを果たすことができなかったのだ。それに対して、村上春樹は、司馬とはずいぶん異なったスタイルによってではあれ、ノモンハン事件を小説の中に組み込んでみせた。どうして村上は、それを――司馬にはできなかったことを――なしえたのか。ノモンハン事件の小説化が、〈我々の死者〉の回復と等価な意義をもつのだとすれば、これは私たちにとって重要な問いである。しかも――このあとすぐに見るように――村上もまた、簡単には中国大陸での日本の戦争を小説として表現することはできなかったことを思うと、つまり村上もまた、大きな困難にぶつかっていたことを考慮に入れると、この問いはますます興味深い、問うに値する問いだということになる。何が困難を克服する上での鍵となったのだろうか。

父の回想

『ねじまき鳥～』は、村上春樹の長編小説としては、一九七九年の『風の歌を聴け』から数えて八作目にあたる。短編を含むそれ以前の村上小説の中で、アジア・太平洋戦争のことが描かれたことは一度もない。戦争をめぐる物語は、『ねじまき鳥～』に突然のように現れる。この事実は、村上春樹が戦争に関心がなかったことを示しているわけではない。強い関心をもってはいたが、どうしても書くことができなかったのである。

困難は、「父」に関連している。徴兵され、実際に戦争に参加した村上春樹の父に、である。とすれば、これは「死者」の問題でもある。中国大陸に派遣された兵士である父は、そこで死んでいてもおかしくなかったからだ。村上の父は——奇妙な言い方にはなるが——、たまたま運よく死なずにすんだ死者である。

村上春樹は、父親についての長文のエッセイの中で、次のようなことを書いている。[*6] 春樹がまだ小学校の低学年生だったある日、父親が一度だけ、自分が属していた部隊が、捕虜にした中国兵を処刑したことがある、と打ち明けるように語ったことがあったという。父親は、処刑の様子をただ淡々と語ったらしい。「中国兵は、自分が殺されるとわかっていても、騒ぎもせず、恐がりもせず、ただじっと目を閉じて静かにそこに座っていた。そして斬首された。実に見上げた態度だった、と父は言った」。村上春樹は、父親が、斬首された中国兵への敬意を死ぬまで抱き続けただろう、と推測している。と同時に、父が処刑の執行をただ傍観していただけなのか、それとももっと積極的に関与したのか、彼は気になって仕方がない。が、すでに父が亡くなっている以上、確かめようがない……と断念している。

この父親の回想、つまり軍刀で中国人の首を刎ねる光景は、あまりに残忍であるがゆえに、幼い春樹の心に焼きつけられた。

ひとつの情景として、更に言うならひとつの擬似体験として、言い換えれば、父の心に長いあいだ重くのしかかってきたものを——現代の用語を借りればトラウマを——息子である僕が部分的に継承したことになるだろう。人の心の繋がりというのはそういうものだし、また歴史というのもそういうものなのだ。その本質は〈引き継ぎ〉という行為、あるいは儀式の中にある。その内容がどのように不快な、目を背けたくなるようなことであれ、人はそれを自らの一部として引き受けなくてはならない。もしそうでなければ、歴史というものの意味がどこにあるだろう?

父は、とても語り難いこと、ほとんど語ることができないことを体験した(実際、一度しか語らなかった)。子である春樹は、いかに心に深い傷が残ったとしても、その体験を引き継がなくてはならない、と考えている。それゆえ、子にとって、それを語ることは義務である。しかし、父にとってと同様に、子にとっても、それは語りにくいこと、話したくないこと、ほとんど語りえないことでもある。戦争のことは、まさに語りえないことであるがゆえに語らねばならない、ということになる。

この二律背反のゆえに、実際、作家としてデビューしてからも長い間、村上春樹はそのこと、、を語ったり、書いたりすることができなかった。しかし、『ねじまき鳥クロニクル』において突然、それが実現した。何によって、この困難、この不可能性が克服されたのか。

三人の中国人

村上春樹に「中国行きのスロウ・ボート」という短編小説がある。一九八〇年の雑誌『海』四月号が初出のこの作品は、村上が発表した最初の短編小説だ。しかし、その後の短編小説にはない圧倒的な異質感がこの作品にはある。初期の村上作品に関してよく言われたこと、「デタッチメント」の感覚がまるでないのだ。この作品から読み取られることは、その逆のこと、一種の「アンガージュマン（主体的関与）」である。いや、もう少し繊細に言い換えた方がよい。この作品を貫いているのは、「遮られたアンガージュマン」の緊張感だ。語り手である「僕」にはアンガージュマンへの意欲はある。しかしそれは挫かれている。

この小説は、これまで「僕」が出会った三人の中国人を次々と紹介する、という形式をとっている。「最初の中国人」は、小学生だった「僕」が、模擬試験の会場になった「中国人小学校」で出会った中国人教師である。問題用紙を配るために教室にやってきた教師は、「わたくしはこの小学校に勤める中国人の教師です」と自己紹介したあと、思いがけないことを語る。わたくしたち二つの国の間には似ているところと似ていないところ、わかりあえるところとわかりあえないところがあるけれども、それはどんなに仲の良い友だち同士でも同じであって、なお互いにわかりあえないこともあるのだから、「努力さえすれば、わたくしたち〔二つの国……大澤補足〕はきっと仲良くなれる。わたくしはそう信じています。でもそのためには、まずわたくしたちはお互いを尊敬しあわねばなりません。それが……第一歩です」。

そして、模擬試験を受けにきている日本人の小学生に対して、中国人教師は、机に落書きしたり、チューインガムを椅子にくっつけたり、机の中のものにいたずらしてはいけません、と注意する。いたずらなどしたら、明日の朝に学校にやってくる中国人の生徒たちがどんな気がするか、と問いかけつつ。そして最後に、「いいですか、顔を上げて胸をはりなさい」「そして誇りを持ちなさい」と中国人教師は呼びかけた。

「二人目の中国人」は、大学生のときにアルバイト先で知り合った女子大生である。アルバイトの最終日、給料を受け取ったあとで、「僕」は、彼女をディスコティックに誘った。まずまずのデートの別れ際、「僕」は、「また誘ってもいいかな?」と彼女に訊ね、教えられた彼女の電話番号を紙マッチの裏に書きとめた。そして、門限のことをしきりに気にしている彼女を山手線の電車に乗せた。が、何かがおかしい、何かが損なわれていると「僕」は思った。一五分ほどして、彼女を山手線の逆回りに乗せてしまったことに気づいた。「僕」は、彼女の行先の駒込駅に先回りしていると、門限の時刻が過ぎた頃に彼女は現れた。「僕」は彼女に謝るが、彼女はわざといじわるをしたのではないか、と疑う。「そもそもここは私の居るべき場所〔それは日本のことなのか、地球のことなのか、と僕は思う：大澤補足〕じゃないのよ」と涙を流しながらほほえむ彼女に、僕は「ねえ、もう一度初めからやりなおしてみないか?」と提案し、明日会いたいから電話するよと彼女と約束し、別れた。

深夜になって、「僕」は二つめの誤謬に気づいた。しかもそれは、「あまりにも致命的な過ちだった」。「僕」は彼女が去ったあと、駅のベンチで煙草をすった。そのとき、煙草の空箱と一緒に、彼女の電話番号を書きとめた紙マッチを捨ててしまったのだ。それ以来、彼女とは一度も会っていない。

「三人目の中国人」は、一〇年ぶりに出会った高校時代の知り合いである。「あえて歴史的事件(中略)に例をとるなら、昔、少年雑誌で読んだ太平洋戦争の激戦の島における二人の兵士の邂逅というのがいちばん近いかもしれない」と書かれている。二人はジャングルの中で鉢合わせになるが、銃で撃ち合うことなく、ボーイ・スカウト式の敬礼をしあって、それぞれ原隊に帰っていくのに似ている、と。

相手は、喫茶店にいた「僕」を偶然見つけて声をかけてきたのだから、当然「僕」の名前を覚えている。しかし、「僕」の方は、彼の名前を思い出すことができない。「僕」は、「昔のことを忘れたがっているんだよ」などと言い訳をするが、彼の方は、「俺は君と同じ理由で、昔のことをひとつ残らず覚えてるんだよ」と応ずる。「僕」は男に、申し訳なさそうに「名前を教えてもらえないかな」と訊ねるが、彼は教えてはくれない。「今の俺には名前なんてないも同じなんだよ」と。彼は今、中国人を相手に百科事典をセールスしている、と語る。その話を聞いているとき、突然、頭の中のキイをはじいたように、「僕」は彼の名前を思い出した。

中国はあまりに遠い

三つのエピソードは、村上春樹が中国人に対して後ろめたさ、罪の意識を抱いていることを示している。罪責感はどこから来るのか。それに答えるのは難しくはない。三つのエピソードはすべて、日本と中国の間の戦争の隠喩(いんゆ)になっているからだ。

一人目の中国人は、中国人学校の教室を荒らしたり、いたずらしたりしてはいけない、と日本人の小学生に訴える。教室でのいたずらは、中国大陸に侵略した日本の軍隊がやったことに比することができる。ほんとうは悪いことをしたことを知っている日本人は、今や卑屈になり、中国人に対して自信をもって対することができない。だから逆に、中国人の方から、胸をはれ、誇りをもて、と励まされる。

二つ目のエピソードについては、こう問わなくてはならない。二つの連続した誤謬は、ほんとうに偶然のことなのか、と。それは、ほんとうは、無意識の欲望の結果だったのではないか。小説の中で、「僕」自身も、そのようなフロイト的な疑いを自分に向けている。日中戦争のとき、日本人の方は、中国と仲良くしたかったのだ、互いの共存と共栄を望んでいたのだ、と主張した。しかし、たまたまの不幸な偶然から戦争になってしまったのだ、と。だが、その「偶然」こそ、日本がひそかに欲望していたこと、日本がむしろ積極的に仕組んだことだったのではないか。高原到は、「僕」の連続した二つの過ちには、柳条湖事件（一九三一年）も盧溝橋事件（一九三七年）も仕組まれた偶然だったことへの「暗い目くばせがある」、と解釈している。[*7]

戦後の日本人は、かつて自分たち（の父や祖父の世代）が犯した中国での侵略行為のことをほとんど忘れている。忘れようとしている。しかし、中国人の側は違う。「三人目の中国人」、高校時代の知り合いが言っているように、である。「全く妙なものだよね。どうにも忘れようとすればするほど、ますますいろんなことを思い出してくるんだよ」。

このように、三つのエピソードはすべて、村上春樹にとっては父の世代にあたる日本人が中国で行った侵略行為からくる罪の意識に関連している。問題はしかし、その侵略行為を直接的に小説で描くことができなかった、ということである。それは、日常のささいな失敗に託すようなかたちで、間接的・隠喩的に暗示できただけだ。どうしても直接的に書き、語ることができない。

この短編小説の結末には、次のようなふしぎな呼び掛けのような文が置かれている。

友よ、
友よ、中国はあまりにも遠い。

友とは誰のことか。もちろん中国人のことである。[*8] どうして中国は遠いのか。中国についての「あのこと」を書かなくてはならないという強い使命感があるのに、どうしても直接には書くことができないからだ。まるでスロウ・ボートに乗って中国に向かっているようだ。なかなか中国に到達しない。だが、『ねじまき鳥クロニクル』で、村上春樹はようやく、中国大陸での戦争を、ノモンハン事件を書くことができた。ボートは中国に到着したということなのか？永遠に中国に行き着かないかに感じられていたボートが、中国に接岸できたのはどうしてなのか？

2　現在の闘争と満洲での戦争

現在の政治的闘争

村上春樹の中国行きのボートは、たいへん遅かった。中国は非常に遠かった。しかし、永遠に中国に到着できなかったわけではない。時間はかかったが中国に接岸した。そのことを示した作品が、長編小説『ねじまき鳥クロニクル』である。この小説は、そのストーリーの中に、日中戦争が、とりわけ――ノモンハン事件への暗示を含むかたちで――満洲での出来事を組み込んでいる。

この小説は、前節で述べたように、二回に分けて出版されている。一九九四年に第一部と第二部が、そして翌一九九五年に第三部が公刊された。それゆえ三部構成の小説だということになるわけだが、最初から三部として構想されていたわけではなく、村上自身は第二部まで書き上げたところで、完結した作品だと考えていたらしい。その後、第三部を書き足したくなったようだ。ゆえに、この作品は、第二部までと、第三部を合わせた全体と、それぞれ独立の作品であると見なすことも可能であり、村上本人もそのように読まれることを望んでもいるようだ。*9
実際、第三部では、第二部までにいなかった人物がたくさん登場し、逆に第二部までの重要人物の一部が後景に退くなど、第三部は、第二部まではずいぶん異質な印象を与える。が、ここでは、第三部を特別視せず、三部までの全体をひとつの作品として見ることにする。

ここでの私たちの問いは、こうである。どうして、『ねじまき鳥〜』において、村上春樹は、それを書くことができたのか。それとは、繰り返し述べてきたように、ノモンハン事件を含む満洲での戦争のことである。他の作家、たとえば司馬遼太郎には書くことができなかった。村上自身も、このときまで、実現できなかった。おそらく、書きたい、書かねばならないと強く望んでいたにもかかわらず、である。はるかに遠いと思われていたその場所に、『ねじまき鳥〜』が、突然、到着したようにも見える。どうして不可能だったことが可能になったのか。この問いに答える過程で、もっと大きな問いにも回答しなくてはならない。この小説は、〈我々の死者〉を回復し、救済したのか。

満洲での戦争について書かれていると述べたが、『ねじまき鳥〜』はいわゆる歴史小説ではない。そもそも、満洲での出来事は、メインの筋には入っていない。骨格となっている筋は、主人公の岡田亨＝「僕」が、突然、理由も告げずに出て行った妻のクミコを捜すことにあるわけだが、やがて、クミコは、彼女の兄、綿谷ノボルのもとに幽閉されているらしい、ということがわかる。基本となる物語は、それゆえ「僕」とクミコと綿谷ノボルの三人の関係の中で展開する。

綿谷ノボルは、経済学者から政治家になった人物である。「僕」は、クミコを取り戻すために義兄の綿谷ノボルと戦う。と、一文で要約すると、親族内の私的なケンカであるかのような印象を与えるが、そうではない。綿谷ノボルは高学歴のエリートで、大衆的な人気もあるが、邪悪な政治家、管理社会の冷たい合理性を貫徹させつつ、人々を幻惑する術（すべ）ももつ権力者として描かれている。ということは、「僕」の綿谷ノボルへの反抗には、政治的な意味が与えられている、ということである。「僕」は、誰と連帯するわけでもなく一人で戦ってはいるが、邪悪な権力に屈しない民衆の代表でもある。「僕」と綿谷ノボルとの戦いは、家族の内輪ゲンカではなく、一種の政治的闘争だ。階級闘争だと言ってもよい。

「僕」と綿谷ノボルとの間の私的かつ政治的な闘争と、満洲での戦争とは、どう関係しているのか。二つの「戦争」の間に、どのような内在的な関係があるのか。二つの「闘争」を交錯させ、一つの小説になることにどのような必然性があったのか。

確かに、前節で述べたように、筋の上では、「僕」と綿谷ノボルとの戦いを中心におく物語の中に、満洲に関する物語が組み込まれてはいる。しかし二つの戦いの間には、どのような内在的・必然的な関係もない……ように見える。この長編小説は、内在的な結びつきのない、二系列の物語を接続させている、という印象を与えるのだ。本来、二つの作品になるべきことが、無理やり、奇妙な設定を使って一つの小説にまとめあげられている……かのようだ。

満洲での戦争

「僕」は、クミコの両親が信頼していた占い師・本田さんとの縁で、彼の死後に間宮中尉なる人物と知り合う。前節にも概略を述べておいたが、満洲での出来事は、この間宮中尉の語りを通じて導入される。間宮中尉は、「僕」に、本田さんとの出会いを含む次のような壮絶な体験を話す。第一部の最後は、この「間宮中尉の長い話」に充てられる。

昭和一三年四月の終わり頃――ということはノモンハン事件の前年ということになる――、当時は少尉だった間宮は、「外蒙古との国境地帯の調査」という名目の任務にあたることになった。彼は、特務機関の上級将校と思われる山本という男をリーダーとした小隊の一員として、ハイラル・ハルハ河沿岸の国境地帯に向かう。四人で構成されたその小隊の中に、本田伍長も入っていた。小隊はハルハ河を越えて国境を侵犯して活動する。やがて山本が何者かに銃撃されて戻ってくるなど、事態は剣呑(けんのん)な成り行きになっていく。そんな中で、間宮少尉は、ここで死ぬかもしれないと呟いたのだが、本田伍長から、あなたは四人の中で最も長生きして日本で死ぬことになると予言される。

その翌未明、彼らは、ロシア人の高級将校一名を含む外蒙古兵の一隊[*10]に見つかってしまう。このとき、間宮はまことに恐ろしいものを目撃する。山本が生きたまま、体じゅうの皮を剝がされるという壮絶な拷問にかけられたのだ。彼は結局、一言も機密について語らず、絶命する。

間宮は、この場では殺されずにすんだ。が結局、砂漠の真ん中の涸れた井戸の中に飛び込むことを強いられる。井戸は深く、自力で外に出ることは不可能だ。孤独の中で死ぬほかないかに思えた。しかし井戸の暗闇の中で、彼は思いもかけぬ出来事に立ち合い、一瞬の至福を味わう。太陽の光が、「まるで何かの啓示のように」井戸の中に射し込んできたのだ。間宮はその光の中で、ぼろぼろと涙を流した。体じゅうの体液が涙となり、「私のからだそのものが溶けて液体になってそのまままここに流れてしまいそう」とさえ感じたと語る。このとき彼は「圧倒的な一体感」を覚え、「人生の真の意義とはこの何十秒かだけ続く光の中に存在するのだ」と直感し、「自分はこのまま死んでしまうべきなのだ」とさえ思う。

この至福の体験の後、間宮は抜け殻になったような気分になる。そして——井戸に入ってから三日目にあたる朝——、なぜか井戸の場所を知った本田によって救い出された。その後、間宮は、何を見ても、何を経験しても、心底から何かを感じることができなくなる。彼は無気力な人生を戦後も送り、本田が予言した通り、長く生き、「僕」に満洲での経験を語るに至った。

第一部・第二部までの中で記される満洲での出来事としては、以上の間宮中尉の体験が中心となる。第三部でも、満洲での出来事が、独特の仕方で語られる。第三部で、「僕」は、赤坂ナツメグ・シナモンという母子と知り合う。彼らが、満洲に関する物語を導入する媒体であるが、彼らは、間宮中尉のように、それらを直接に体験しているわけではない。

赤坂ナツメグは、満洲の新京で育った。ソ連が参戦した直後に、彼女は満洲を脱出した。その引き揚げ船の上で、彼女は、新京動物園での「襲撃」を見る。厳密に言えば、実際には見なかった情景を、催眠状態の中で、あたかも霊媒のように幻視したのだ。この「襲撃」に実際に立ち会っていたはずなのは、獣医だった彼女の父親である（彼は、引き揚げ船に同乗しておらず、その後シベリアで亡くなっている）。ナツメグは、そのようにして「見た」ことを、「僕」に語った。それは、日本の兵隊たちが動物園の中をまわりながら、人間を襲う可能性のある動物たちを次々と射殺した、という話である。

この「動物園襲撃」の後の出来事が、今度は息子の赤坂シナモンによって与えられる。とはいえ、シナモンは戦後の生まれで――「僕」よりもずっと若く――、満洲で何かを体験したり、目撃したりしているはずがない。その上、彼は、六歳から以降、声を失っていたのだ。「僕」は、コンピューターの中に見出したファイル「ねじまき鳥クロニクル」#8を読むことで、出来事の顚末を知る。このファイルは、「動物園襲撃」の話に異様に惹きつけられ、それを何百回も母に語らせたシナモンが残したものであることはまちがいない。この出来事も、実際に目撃した（はずな）のは、やはり獣医（シナモンの祖父）である。

どんな出来事か。「襲撃」の翌日、八人の日本兵が、四人の中国人を勾引し、彼らを動物園内で殺害したのだ。今度殺されたのは、動物ではなく、中国人である。リーダーの中尉は、三人の中国人を銃剣で殺させ、そして、北海道出身の若い兵士（本田さんと思われる）に命じて、残る一人をバットで撲殺させた。シナモンのファイルには、このようにあった。

記憶を奪う者

さてもう一度、問おう。これら満洲での戦争に関係した出来事が、「僕」の現在の「戦争」、つまりクミコをめぐる綿谷ノボルとの戦いとどう関係しているのか。実は、「僕」にもそれはわからない。物語の終盤近くに、「僕」自身が次のように呟いている。

すべては輪のように繋がり、その輪の中心にあるのは戦前の満州であり、中国大陸であり、昭和十四年のノモンハンでの戦争だった。でもどうして僕とクミコがそのような歴史の因縁の中に引き込まれて行くことになったのか、僕には理解できない。それらはみんな僕やクミコが生まれるずっと前に起こったことなのだ。

だが、現在の「僕」の闘争と「僕」の生まれる前の満洲での戦争との間に、何らかのつながりがある、ということへの暗示もないわけではない。どのような暗示か。歴史は、記憶を物語ることである。間宮中尉は、自身の記憶を直接語り、赤坂ナツメグとシナモンは、誰かに憑依（ひょうい）

してやはり記憶を語る。自己の記憶、他者の記憶を想起し、物語ることで歴史は叙述される。ところで、「僕」の敵である綿谷ノボルは、記憶を破壊する者、記憶を抹消する者であるとされている。

物語の序盤で、「僕」は、加納マルタ・クレタという占い師で霊能力のある姉妹と交流をもつ。妹のクレタは、かつて綿谷ノボルに犯された。そのときのことを、クレタは、次のように話す。「その痛みはまるでかなてこのように、私の意識の蓋を強い力でこじあけていました」と。「痛みは意識の蓋をこじあけ、私の意思とは関係なく、その中にある寒天のようなかたちをした私の記憶をずるずるとひきずりだしていきました」。綿谷ノボルの性的暴力は、他者の「すべての記憶とすべての意識」を抜き出すものだ。

加納マルタは、妹のクレタに、お前のからだはその男に汚されてしまったが、それは本来なされてはならないことだった、と語り、恐ろしいことを付け加える。「下手をすればお前は永遠に失われて、まったくの無のなかをいつまでも彷徨っていなくてはならなかったかもしれないんだ[*11]」。

「僕」と綿谷ノボルとは、記憶を物語るという行為に対して、対照的なポジションをとっている。「僕」は、他者にその記憶を語らせる者であり、記憶に積極的な存在を与える。それに対して、綿谷ノボルは、記憶を抜き取り、消去してしまう者である。[*12]「僕」と綿谷ノボルの戦いは、記憶をめぐる戦争でもある。このことを考慮するならば、中国大陸――とりわけノモンハン――での戦争が、「僕」の綿谷ノボルとの現在の戦いと何かの関係をもっていると推定される。しかし、どんな関係なのか、依然として不明である。

3 「井戸」の二つの抜け道

「井戸」と「壁抜け」

『ねじまき鳥～』なる小説はどうして、それまで書くことができなかった、中国大陸でかつて日本が引き起こした戦争を描くことができたのか。この小説において初めて導入された――そして以降の村上作品では繰り返し活用されるようになったアイデアに、まずは注目しておこう。それは、村上春樹本人も述べているように、井戸に深くこもることによる「壁抜け」という発想である。

主人公の岡田亨は、つまり「僕」は、自宅の近くの路地にある井戸の中に入り、その底に降りる。そこにひとり閉じこもって考えていると、やがて別の世界へと入ることになる。これが「壁抜け」である。「僕」が入った井戸が、間宮中尉が神秘体験を得たあの井戸に通じていることとは明らかであろう。そうだとすると、井戸や「壁抜け」という比喩によって表現されている

「方法」が何であるかを解明できれば、それこそが、ノモンハンを書くことを可能にした契機そのものである、ということになるのではあるまいか。

井戸という閉域に徹底的に内在することで、かえって壁を超えて出ていくことができる、という転換のイメージは、私たちに、あることを連想させずにはおかない。それは、吉本隆明が「井の中の蛙」に託した思想的方法である。吉本は、「井の中の蛙」は、井の外に虚像をもてば井の中の蛙にとどまるが、井の外に虚像をもたず井の中にあることに徹するならば、逆に井の外につながるはずだ、と述べたのであった（本書第4章3節）。だが、吉本は、この逆説的な転換が実際のところなぜ、そしていかにして可能なのかを、積極的に示すことはできなかった。吉本の「大衆の原像」という概念は、これを説明するほどに十分に強力なものではなかった。

ところで今、村上春樹の提起した、井戸の底を通じた「壁抜け」という着想は、吉本の「井の中の蛙」のイメージとほとんど正確に重なっている。村上は、吉本のことをまったく意識はしていないだろう。ただ結果的には、吉本とよく似たイメージを提起している。『ねじまき鳥〜』では、井戸を通じた壁抜けで、どこにたどり着くのか。歴史の〈現実〉に、である。あの戦争の中の出来事、通常の視線がどうしても〈我々の死者〉をそこに見出すことができなかったその場所に、壁抜けで到達することができる。村上春樹の小説は、かく暗示しているように見える。

とすれば、問わないではいられない。井戸とは何か。壁抜けとは何か。それらはただの比喩だが、実際には何を意味しているのか。村上は、井戸というモチーフが好きで、振り返ってみれば、『風の歌を聴け』にすでに登場する。壁抜けにつながる積極的な装置として活用されるのは、『ねじまき鳥〜』が初めてだが、井戸のモチーフ自体はデビュー作にもある。井戸とは何であろうか。

村上自身は、井戸に降りることは、深層意識を探ることである、と自己解説している。が、この解説は、ほとんどトートロジーであって、実質的なことは何も説明してはいない。そもそも、小説を書くという作業自体が、作家にとっては、己の深層意識の探究であろう。深層意識への遡行（そこう）などという凡庸で大雑把な捉え方で満足するわけにはいかない。ほかならぬ「井戸」というモチーフに執着することで、作家は——意識することなく——実質的に何をやったことになるのか。

それ以前の「壁抜け」

だが、そもそも、井戸が何の比喩になっているにせよ、まさにその「何か」によってほんとうに、中国大陸での戦争を書くことが可能になっていたのだろうか。最初にそう問い直し、考えておく必要がある。疑いを抱く十分な根拠があるからだ。どこにそんな根拠があるのか。

『ねじまき鳥〜』以前の作品、それより前の長編小説に、である。井戸を媒介にした壁抜けというアイデアは、『ねじまき鳥〜』で初めて、完成されたかたちで提示される。しかし、その「幼形」とでも呼ぶべきもの、あとで「井戸」と「壁抜け」へと発展したと見なしうる装置は、以前の作品にすでに現れている。「以前の作品」とは、『ねじまき鳥〜』のおよそ一〇年前に上梓された長編小説『世界の終りとハードボイルド・ワンダーランド』である。

『世界の終りと〜』は、併存する二つの世界を往還するという、村上の得意とする設定を確立した作品である。一方に、主人公の「私」が活動している現実の世界である「ハードボイルド・ワンダーランド」があり、他方に、「僕」がいる「世界の終り」という自己否定的な名前をもつ夢のような世界がある。物語は、両者が並行して展開し、最終的に収束する。『ねじまき鳥〜』も、この二つの世界を往還するタイプの物語になっている。「ハードボイルド・ワンダーランド」に対応する現実の世界が、岡田亨（「僕」）が妻クミコを捜しつつ、綿谷ノボルと戦っている世界、「世界の終り」に対応しているのが、戦前の満洲だ。

『世界の終りと～』 → 『ねじまき鳥～』
ハードボイルド・ワンダーランド → 「僕」とクミコと綿谷ノボルの世界
世界の終り → 戦前の満洲

『世界の終りと～』には、「井戸」は出てこない。しかし、異質な二つの世界の併存という設定にリアリティを与えるための物語上の工夫として、「井戸」と「壁抜け」に類するモチーフが登場している。「ハードボイルド・ワンダーランド」の主人公「私」は、万能の天才的博士の孫で、ピンクのスーツを着た太った娘に導かれて、博士のオフィスのクローゼットを入り口とする地下道に入っていく。博士が設計し、造ったと思しきこの通路は、東京の青山あたりの地下に張りめぐらされているようで、博士が隠れている安全な場所に通じている。だが、その安全な場所までの道程は、滝があったり、崖があったりして地形的に困難なだけではなく、「やみくろ」なる凶暴な怪物に襲われる危険性もあって、まことに剣呑である。博士が隠れている場所だけは、やみくろたちの聖地であって、やみくろを含むいかなる敵も近づくことができない。この「ハードボイルド・ワンダーランド」の地下道は、もうほとんど、異世界に通じている「井戸」であり、その一歩手前であろう。

「世界の終り」は、壁に囲われた小さな街である。この閉じられた街には、一カ所だけ内側からの脱出口がある。それは、街の南西の端にある「水のたまり」である。街の川はそこに流れ着き、一挙に地下へと潜り込む。「ハードボイルド・ワンダーランド」の地下道と「世界の終り」の方の「水のたまり」とが相関していることは明らかだろう。[*13] そして、この底なし沼のような水のたまりが、『ねじまき鳥〜』の間宮中尉が飛び込んだ砂漠の中の井戸の前身である。

「世界の終り」と歴史の〈現実〉

このように、井戸的な穴を用いた「壁抜け」は、すでに『世界の終りと〜』で用いられているアイデアだ。しかし、このような設定によって、日本のあの戦争の〈現実〉が書かれたわけではない……ということを、ここで特に問題にするつもりはない。小説の基本的な主題が異なっているのだから、そんなことは当たり前だろう。

ここで注目しておきたいことは、もっと繊細なことである。『世界の終りと〜』を読めば、次のように推測することはできる。確かに、井戸のような地下道を用いた壁抜けというアイデアは、作家に、ある種の（想像的な）視覚を与えている。作家は、このアイデアを通じて、何かが見えるようになり、そして書けるようになったのだ。その産物が、「世界の終り」という街の話である。基本的にはリアリズムに準拠した世界（「ハードボイルド・ワンダーランド」）の脇に、虚構性の高い、もう一つの完結した世界（「世界の終り」）を併存させ、それでもなお物語が分裂せず、単一の物語としての統一性を維持すること。地下道を用いた壁抜けは、これを可能にしている。

だが、こうして構成された「世界の終り」という世界は、歴史の〈現実〉とはまったくかけ離れた――いや完全に対照的な存在性格をもった世界である。歴史の〈現実〉、つまり〈我々の死者〉が参加(コミット)していた過去の〈現実〉の真実性ということを基準にとったとき、これにかくも真っ向から対立し、正反対の性格を有する世界は、ほかにない、と言いたくなるほどだ。

虚構(フィクション)であることは当たり前だとして、「世界の終り」は、〈現実〉の現実たる所以(ゆえん)に迫ろうとするよりも、逆に〈現実〉から離れ、夢や幻想のごときものとして自立しようとする指向の産物である。なぜそこは、「世界の終り」などという名前で呼ばれているのか。それは〈現実〉としての「世界」の否定（終り）だからだろう。「世界の終り」には、そもそも歴史なるものがない。時間が止まっているからである（この街の時計台の時計には針がない）。「世界の終り」に入り、そこに留まるためには、人は「影」を切り離さなくてはならない、とされている。『世界の終りと～』では、「影」は、自我の実質、個人の主体性の根拠のようなものを表現する喩(ゆ)である。ということは、そこは、〈我々〉とか〈私〉とかが、主体性をもって参加し、関与するような世界ではありえない、ということである。

それゆえ、まずはこう結論せざるをえない。井戸（のような穴や地下道）を通じた壁抜けという方法は、本来は、歴史の〈現実〉を見る方法ではない。むしろ、〈現実〉とは対照的な世界を幻視するための工夫である。とすると、ますますふしぎなことだ。村上春樹は、『ねじまき鳥～』においては、まさにその方法によって、歴史の〈現実〉を、満洲の〈現実〉を見ていることになるからだ。なぜ、そんなことが可能だったのか。何が、『世界の終りと～』とは異なっていたのか。

政治的闘争に対する二つの態度

それぞれの小説における、もう一つの世界、つまり現実的な世界の方を比べてみよう。「ハードボイルド・ワンダーランド」と岡田亨の世界を、である。こちらのペアに関しても、顕著な対照性があるのだ。

その対照性をはっきりとさせるためには、まずは両者の共通性を確認しておく必要がある。どちらにおいても、主人公は、一種の政治的闘争の中に置かれている。岡田亨の綿谷ノボルへの戦いは、親族内の私的なケンカではなく、一種の政治的闘争だということは、先に述べた。「ハードボイルド・ワンダーランド」の世界では、計算士と記号士という二つのグループが闘争している。計算士が体制派で、記号士が反体制派らしい、ということがわかる。主人公は、計算士のグループに入っている。彼は、きわめて有能な計算士だ。

　だが、政治的闘争に対する主人公の関与の仕方が、二つの小説では、まったく正反対であることがわかる。岡田亨は、闘争に、積極的・主体的にコミットしている。彼は単独で戦っているのだから当然である。しかし、「ハードボイルド・ワンダーランド」の「私」は、計算士の一員だが、記号士との戦いに積極的に加担しているわけではない。「私」は、計算士のイデオロギーや理念に——そういうものがあるとして、のことだが——、共鳴しているわけでも、賛成しているわけでもない。「私」は、その才能のゆえに、計算士として採用されてはいるが、「私」にとっては、計算士は高収入の就職先に過ぎない。要するに、「私」は、計算士と記号士の間の内戦に対してはまったく消極的であり、ただそれに巻き込まれてしまっただけだ。

　実際、記号士だけではなく、計算士のリーダーたちも、自分たちにとって都合が悪くなったら「私」を抹殺しかねない、ということが示唆されている。ほんとうは、記号士も計算士も両方とも、「私」にとっては敵である。そもそも、記号士と計算士はどう違うのか、小説からはよくわからない。名前からして、どっちもどっちとしか言いようがなく、両者ともに、テクノクラティクな支配、管理社会的なシステムを連想させる。つまり、記号士も計算士もともに、『ねじまき鳥～』における綿谷ノボル的な陣営を形成しているのだ。両者はともに「私」にとっては真の味方とは言えない。かといって、「私」は、岡田亨とは違い、計算士や記号士と積極的に戦うわけではない。「私」はただひたすら、両者から逃げ回っているだけだ。*14

岡田亨は、政治的闘争に主体的にコミットしている。それに対して、「ハードボイルド・ワンダーランド」の「私」の闘争に対する態度は、——村上春樹の初期の小説の主人公の態度を特徴づけるのによく使われた語をここでも援用すれば——デタッチメントだということになるだろう。そして「デタッチメント」性をよりいっそう純化させれば、「世界の終り」の世界になる。ここでは人々は、世界へのコミットメントの根拠になりうるもの、コミットメントの情熱の源泉をもたない。つまり人々は、「影」(自我の核)を失っている。

このデタッチメント性は、「世界の終り」での主人公「僕」の仕事によく表現されている。「僕」の仕事は、「夢読み」である。この街では、人々の夢や願望は、街の内と外とを毎日往復している一角獣たちに吸い取られてしまうらしい。吸い取られた夢は、一角獣の頭蓋骨の中に断片化されて封じ込められている。一角獣の頭蓋骨は、人々の夢が未整理なままに蓄積されているデータベースである。死んだ一角獣の頭蓋骨の中に入っている夢を夢読みが読むことで、夢は最終的に処分される。とすると、夢読みとは何なのか。夢読みは、世界をただひたすら傍観する者である。人々の夢に共鳴するわけでも反発するわけでもなく、ただそれを処分する者だ。デタッチメントの究極の形態がここにある。

本節で提起した問いを再確認しておこう。壁抜けという設定がもたらす視覚が、『世界の終りと〜』と『ねじまき鳥〜』ではまったく対照的な働きをしている。壁抜けは、前者では、〈現実〉を拒絶するファンタジーを幻視するように機能し、後者では、歴史の〈現実〉を見ることを可能にしている。このような違いは何がもたらしているのか。手がかりとなる補助線を引いておいた。壁抜けのためにそこから地下へと入る現実的な世界では、どちらの小説でも、政治的な含みのある闘争がなされているが、『世界の終りと〜』では、主人公は受動的にそれに巻き込まれてしまっているのに対して、『ねじまき鳥〜』の主人公は、その闘争の積極的な遂行者なのだ。

4　処刑のヴァリエーション

三つの処刑

　村上春樹の『ねじまき鳥クロニクル』にある満洲の描写に戻ろう。この小説で描写される、満洲に直接関係した出来事は、第2節で紹介した三つのケースに集約される。間宮中尉が語った工作活動、赤坂ナツメグが語った動物園襲撃、そして赤坂シナモンがファイルに残した中国人の銃殺・撲殺。これらはすべて実際にあったことではない。すべて虚構（フィクション）である。もとになった事実があったとする研究もあり[*15]、そうした研究の信憑性は高いが、いずれにせよ、村上春樹は事実を単純に記述しようとしていない。だが、これらの虚構は、事実の粉飾や歪曲ではない。〈現実〉の真実性に——事実を超えて——迫ろうとしたことの結果だと見なくてはなるまい。

　これら三つの出来事には、共通の要素があることに気づく。その中心にどの出来事も、戦争というものが不可避にその内部に含む「敵の処刑」を中心に置いている。間宮中尉の話の中で最も重要なシーンは、あの井戸のことを別にすると——いや井戸についてのファンタジー以上に——、外蒙古兵による山本への拷問・処刑である。ナツメグの語ったのは、日本兵による危険な動物の処刑である。そして、シナモンがファイルに残したのは、日本兵による四人の中国人の処刑だ。

　ここで第1節で引いたことを思い起こさねばならない（一八六〜一八七頁）。村上春樹は、子供のとき一度だけ、父から戦争の体験を聞いている。父が属していた部隊が、捕虜にした中国兵を処刑した、と。日本兵が、中国兵の首を軍刀で刎ねたのだ。その光景は強烈で、春樹少年に、ひとつの情景、ひとつの擬似体験として継承された。そのように村上春樹はエッセイで書いている。

　ここで仮説を提起してみたい。『ねじまき鳥〜』に書かれている三つの満洲での処刑はすべて、この父が立ち会った処刑——日本兵による中国兵の斬首——のヴァリエーションではないか。

　三つの中で最も原型（父が立ち会った処刑）に近いのは、シナモンのファイルにあった処刑だ。日本兵が中国人を処刑したという基本の関係は維持されている。処刑の仕方が、軍刀による斬殺から、銃剣による刺殺とバットによる撲殺に置き換わっている。なぜ村上は、「バットによる撲殺」などという奇妙な殺害法に拘ったのか。その理由は明らかである。主人公の「僕」（岡田亨）が、武器としてバットを使っているからだ。ということは、撲殺を命じた中尉は、「僕」の分身だ、ということになるだろう。つまり、それは、春樹の父親である。[*16]

この中国人殺害とその前日の――ナツメグが語った――動物園襲撃とが相関していることは明らかであろう。日本兵を率いているのは、同じ中尉である。殺害される犠牲者を動物に置き換えれば、動物園襲撃になる。

最も興味深いケースは、間宮中尉が立ち会った山本に対する拷問・処刑である。原型と対比させると、処刑する者／処刑される者の関係が反転している。処刑しているのが――中国人ではないが大陸の本来の住民である――外蒙古人であり、そして処刑されているのが日本人だ。春樹の父親は、処刑された中国兵の態度に感服していた。騒がず、恐れず、ただ静かに座って殺されるのを待った中国兵は、「見上げた態度」だった、と。『ねじまき鳥～』の山本の態度も、拷問者たちを感服させ、圧倒するものだったのではないだろうか。生きながら全身の皮をゆっくり剝がされるという、この世のものとも思われぬ拷問を受けながら、命乞いをせず、ついに機密情報を一つももらさず、死んでいったのだから。

三つの処刑は、いずれも村上の想像力の産物であり、虚構だ。だが、それらはありえたことでもある……と作家は強く感じている。なぜ、ありえた、と言えるのか。村上春樹の確信を支えている推論は次のようになるだろう。「それは、春樹の父親が立ち会った、日本人による中国人捕虜の処刑が実際にあったからだ」。父はそれを見た。ならば、動物園襲撃も、日本兵による中国兵の撲殺も、さらに外蒙古兵とロシア人将校による日本人工作員の拷問・処刑もあった……と言ってもよいほどの現実性がある。このような直感が、『ねじまき鳥～』の、過去の戦争についての叙述を支えている。

過去の複数性

さて、そうだとすると、赤坂シナモンのファイルに書かれた出来事の見出され方に注意を向けたくなる。「僕」の前にあるコンピューターが突然、動き出した。コンピューターの画面には、「あなたは今、プログラム『ねじまき鳥クロニクル』にアクセスしています」とある。その画面には、一六個のファイルの一覧表がある。「1から16までの文書の中から番号を選択して下さい」。「僕」は、こんなふうにコンピューターを外から操作することができる人間はシナモンしかいない、と思う。コンピューターのコール音が鳴り続ける。「それは僕に向かって選択を求めているようだった」。「僕」は特に理由もなく「#8」とある文書を選択した。そこに書いてあったのが、八人の日本兵の一団が四人の中国人を勾引し、動物園内で殺害した、という出来事であった。

「僕」はたまたま#8を選択した。他の文書には何が書いてあったのだろうか。他の文書には、他の出来事が書かれていただろう。その出来事の筋は、#8とは両立しない、#8と矛盾するものだったに違いない。一六個の文書には、互いに排他的な筋をもつ一六個の小さな物語が書かれているはずだ。

ところで、#8の文書に書かれていたことは——小説のコンテクストの中では——「事実」である。『ねじまき鳥〜』という小説の中では、それは、実際にあったことである、と考えなくては意味がない。シナモンは、満洲に行ったこともないし、そもそも満洲国があった時代にはまだ生まれてもいなかったわけだが、シナモンが母の話に触発されて「おもしろい物語を創作してみた」ということではあるまい。ナツメグが、誰か（ナツメグの父）に憑かれたかのように語ったことも、シナモンが書いたことも、間宮中尉が体験したことと同じレベルで、この小説の中では「事実」である。

それならば、#8以外の文書に書かれていたはずのことはどうなのか。それらは、「事実」ではなく、「嘘（作り話）」なのか。「僕」はたまたま、「事実」を書いてある唯一の文書を引き当てた、ということなのか。そうではあるまい。一六個のどの文書も、「僕」に読まれたならば、そこに書いてあることは「事実」だったことになるのだ。

そうだとすると、『ねじまき鳥～』は、「過去 Past」に関して独特の感覚を前提にして書かれていることがわかる。私たちは普通、過去は単一ですでに決まっており、「未来 Future」は複数の可能性 F_1、F_2、F_3……に開かれている、と考えている。未来の複数の可能性の間の関係は、「選言 disjunction（または or）」である。「F_1 または F_2 または F_3 または……」。それに対して、『ねじまき鳥～』においては、過去こそが複数的である。P_1、P_2、P_3……という複数の過去がある。それらの間の関係は、今度は「連言 conjunction（かつ and）」である。「P_1 かつ P_2 かつ P_3 かつ……」。

未来の｛F_1、F_2、F_3……｝にせよ、過去の｛P_1、P_2、P_3……｝にせよ、要素の間の関係は排他的である。つまり、どの二つも両立しない。だが、要素間の関係が選言的であれば、論理的な困難は何もない（たとえば F_1 をとれば、F_2、F_3 などは捨てられる）。しかし、要素間の関係が連言的であるときには、論理的に錯乱しているように見える。だが、『ねじまき鳥～』は、まさにそのような（脱）論理を前提にして、過去を見ている。

『ねじまき鳥～』に登場する、満洲での三つの処刑は、すべて同じ形式をもっているが（誰かがその敵を処刑する）、しかし、その内容が少しずつ異なっており、互いの間に矛盾がある。しかし、この場合には、三つの処刑が同時に生起しているわけではなく、通時的に――しかも異なる場所で——継起しているので、[17] 論理的な困難はない。だが、私たちが考えなくてはならないことは、小説に描かれた三つの処刑の関係ではなく、原型となった処刑と、これら三つの処刑との関係である。原型となった処刑とは、春樹の父親が実際に目撃した、捕虜にした中国兵の処刑だ。

父親から聞かされたその処刑の情景が、三つの処刑のイメージを生み出している。しかし三つの処刑はいずれも、原型とは矛盾している。中国人は軍刀で斬首されたのか、バットで撲殺されたのか。殺されたのは中国人捕虜なのか、凶暴な動物なのか。殺害されたのは中国兵なのか、日本人の工作員なのか……。矛盾はしているが、しかし、原型となった処刑はこれら異なる三つを、「事実」であったこととして生成しているように見える。互いに矛盾する複数の過去が、連言でつながっているかのように、である。

5 あまりに凄惨な……

あらかじめの罰

『ねじまき鳥〜』で描かれた、満洲で執行された三つの処刑は、村上春樹が父から聞いた中国人捕虜の処刑のヴァリエーションである。これが私の解釈である。三つの処刑の中で最も重要なのは、間宮中尉の目の前で執行された、山本の処刑であろう。この処刑だけが、処刑する者とされる者との関係が、原型とは反転している。つまり、中国大陸への侵略者であった日本人の側が処刑されている。

この拷問・処刑の意味は何だったのか。なぜ、山本への拷問が、ことのほか細かく描かれなければならなかったのか。私の考えを言おう。これは、一種の懲罰である。これは、あらかじめくだされた罰だ。日本の敗戦の前に執行された日本人への懲罰、罪を完全に犯してしまう前に与えられた罰、やがて犯すことになる罪に対するあらかじめの罰。それが、山本への過酷な拷問、山本の処刑だったのではないか。

村上春樹は、父の話を聞いて不安になる。父は、中国大陸で、重い罪を犯したのではないか、と。いや、いずれにせよ父もまたその一員だった日本兵は、確かに、罪を犯したのである。要するに、〈我々の死者〉は、中国大陸で、とてつもなく大きな罪を犯した。

ならば、当然、罰を受けなくてはならない。山本に対する拷問こそが、その罰だったのではあるまいか。この場面のポイントは、山本が堂々と処刑されたことにある。山本は、いささかも命乞いをせず、「罰」からまったく逃れようとしなかった。山本は、積極的・主体的に「（あらかじめの）罰」を引き受けたのだ……村上春樹は、そのような者として、山本を描いた。

処刑後のロシア人将校の反応は、彼が山本に畏敬の念さえ抱いたことを示している。彼は

「どうやらあの男は本当に知らなかったようだな」と言い、乾いた声で、「知ってたら絶対に喋ったはずだ。気の毒なことをしたな」と呟く。

皮剝ぎ

だが、この山本への処刑のシーンには、まだ謎がある。あまりにも凄惨なのだ。村上は、この有能な日本人工作員への拷問を実に丁寧に、そして比喩のような修辞にまったく頼らず即物的に描いている。処刑は衝撃的に残酷である。

山本がかけられた拷問は、ゆっくりと全身の皮を剝ぐというもので、ロシア人将校によると、この拷問で「最後まで口を割らなかった人間は一人もいない」。刑を実際に執行するのは、熊のような蒙古人の将校である。間宮中尉は「僕」に語る。

ナイフを持ったその熊のような将校は、山本の方を見てにやっと笑いました。私はその笑いを今でもよく覚えています。今でも夢に見ます。私はその笑いをどうしても忘れることができないのです。（中略）本当に、彼は桃の皮でも剝ぐように、山本の皮を剝いでいきました。私はそれを直視することができませんでした。私は目を閉じました。私が目を閉じると、蒙古人の兵隊は銃の台尻で私を殴りました。私が目を開けるまで、彼は私を殴りました。しかし目を開けても、目を閉じても、どちらにしても彼の声は聞こえました。彼は初めのうちはじっと我慢強く耐えていました。しかし途中からは悲鳴をあげはじめました。それはこの世のものとは思えないような悲鳴でした。

拷問はこのように始まる。村上は、間宮の口を通じて、皮剝ぎの様子をさらに細かく説明する。正視するに耐えないのに、間宮がよく見てもいたことがわかる。

　やがて右腕はすっかり皮を剝がれ、一枚の薄いシートのようになりました。皮剝ぎ人はそれを傍らにいた兵隊に手渡しました。兵隊はそれを指でつまんで広げ、みんなに見せてまわりました。その皮からはまだぽたぽたと血が滴(したた)っていました。（中略）彼は両方の脚の皮を剝ぎ、性器と睾丸(こうがん)を切り取り、耳を削ぎ落としました。それから頭の皮を剝ぎ、顔を剝ぎ、やがて全部剝いでしまいました。山本は失神し、それからまた意識を取り戻し、また失神しました。失神すると声が止(や)み、意識が戻ると悲鳴が続きました。

結末も凄まじい。

私はそのあいだ何度も吐きました。最後にはこれ以上吐くものもなくなってしまいましたが、私はそれでもまだ吐きつづけました。熊のような蒙古人の将校は最後に、すっぽりときれいに剝いだ山本の胴体の皮を広げました。そこには乳首さえついていました。あんなに不気味なものを、私はあとにも先にも見たことがありません。誰かがそれを手に取って、シーツでも乾かすみたいに乾かしました。

あとには「赤い血だらけの肉のかたまりになってしまった山本の死体が、ごろんと転がっているだけ」だった。続いて、もっともいたましいという、皮を剝がれた顔が描写されるが、引用はこのくらいで止めておこう。

見ることの可能性と不可能性の葛藤

拷問のシーンを長々と引用したのは、疑問の核心部を明示するためである。どうしてここまでリアルかつ精細に、残虐な場面を記述する必要があったのか。そもそも、どうして皮剝ぎなどという、おぞましいやり方で——現実になされていたとは思えないやり方で——山本が殺されたことにする必要があったのか。山本の処刑は、今しがた述べたように、先取りされた懲罰である。だがそれにしても、皮剝ぎは過剰である。春樹の父親の部隊が採用した、中国人捕虜の殺害法も、つまり斬首も、人を戦慄させるものがあるが、時間をかけて全身の皮を剝ぐというやり方には、それをはるかに上回る残酷さがある。

日本の近代文学史の中に、これに匹敵する叙述はあっただろうか。私は三島由紀夫の「憂国」における切腹のシーンを思い起こす。この小説で、三島は、二・二六事件に参加できなかった青年将校が新妻の前で切腹する様を、数頁にわたって執拗に記していく。血や内臓の描写があまりにも具体的で、読むのが苦しくなるほどだ[18]。三島が緻密に切腹を記したのは、青年将校の自刃といった概括的な事実よりも、体の内側から飛び出してくる血や内臓のイメージが、三島にとって重要だったからである[19]。村上春樹の処刑シーンについても同様のはずだ。何か、その理由があるのだ。

村上春樹はここで、隠喩や、あるいはアイロニーをこめた寓意を巧みに使用することで、ことがらの本質的な構造だけを示すという自身の得意とするスタイルを完全に放棄し、皮を剝ぐという残酷な行為をひたすらリアルに細部まで記述している。とすれば、作家本人が意識しているかどうかは別として、そのような書き方へと彼を駆り立てる何かの必然性があるのだ。どうしてもそう書かざるをえなくさせている何かが、である。

引用した部分から、とりあえずひとつのことがわかる。ここで、見ることの可能性と不可能性とが葛藤している。間宮中尉は、本来は見ることができないものを見させられている。読者の方も、文字を通じてでさえも、正視できない、という気分になる。間宮中尉が吐くものがなくなってさえも吐き続けざるをえなかったのは、見ることができないものを見たからである。

さて、私たちはまだ本来の問いに答えていない。『ねじまき鳥〜』はどうして、ノモンハンや満洲の戦争を書くことができたのか。たくさんの補助線を引いてきた。今やそれらを総合して、問いに答えるときである。

6 量子論的重ね合わせのように……

重ね合わせ

『ねじまき鳥〜』には、戦後の日本人にとって〈我々の死者〉としての意味を担いうる人物が描かれている。満洲の、あるいはノモンハンの〈我々の死者〉が描かれているのだ。それは、処刑された山本である。彼は、もちろん軍人として、日本の大陸侵略に加担しているし、また関東軍による満洲支配に貢献してもいる。だが、彼はその報いを受けている。過剰とも言える罰を受けることで、（侵略者・抑圧者としての）罪を贖（あがな）っているのだ。他の誰もなしえなかった、あの時代の満洲（ノモンハン）に帰属させうる〈我々の死者〉を、どうして村上は書くことができたのか。

山本は実在の人物ではないし、彼の「処刑」もまた実際にあったことではない。私たちは、「こんな人物がいたらよかったのに」と思うような人物を想像し、造形して、過去に投影することがある。多くのフィクションもそうやって作られてきた。だが、このように現在の私たちにとって都合のよい人物を過去に投影しても、それが〈我々の死者〉として機能するわけではない。〈我々〉の祖先にそのような人物がいたに違いない、と納得させる〈真実〉が宿らないからだ。では、どうして、『ねじまき鳥〜』の山本は、〈我々の死者〉としての資格をもったのか。

鍵は、第4節の最後に述べたことにある。すなわち、現実との関係が、選言的（or）ではなく、連言的（and）だということだ。現実にあったことは、村上の父が立ち会った出来事P_1「日本兵が中国人を処刑した」である。これと、山本の拷問死P_2は矛盾する。P_2では、日本の軍人の方が処刑され、犠牲者になっているのだから。両者の間に矛盾があるにもかかわらず、P_1とP_2は連言で結ばれる。「P_1かつP_2」。

私たちが現在の立場から、都合のよい人物や出来事を過去に投影するとき、こう考えるだろう。「P_1ではなくP_2であればよかったのに……」と。このとき、P_1とP_2の関係は、選言的である。この選言に基づく仮定、「もしP_1ではなく、P_2であったならば」という仮定は、一般に空疎で、ときにあまりに安易である。たとえば「満洲で日本人がほんとうに五族を平等に扱っていたらよかったのに」と言ったら、（現在の私たちにとっての父祖の世代にあたる）戦前の日本人はまさにそれができなかったことこそが問題だったのだ、とただちに批判されるだろう。少しばかり心がけがよかったら「五族協和」が実現できたかのように言うとすれば、それは、傀儡政権を通じて満洲を実効支配し、他民族を抑圧していた日本人の過去の過ちを軽く見る、極端に無責任な態度だと言わざるをえない。

それに対して、『ねじまき鳥〜』でのP_1（日本兵が中国人を処刑した）とP_2（日本の軍人が処刑された）は連言によって結ばれる。P_2がありえたという想定が、P_1を排除しない。つまり選言のケースと違って、日本兵が犯した罪を否認してはいない。逆にP_1が現実だったということこそが、P_2を招き寄せている。だが、すぐに反論したくなるだろう。互いに矛盾する複数の出来事を連言で結ぶこと——それらがすべて起きたと見なすこと——はできるのか。できるのだ。どのような意味で？　それはこのあと説明する。

が、その前に、指摘しておきたいことがある。$\{P_1、P_2、P_3……\}$といった出来事が互いに矛盾しあう性質をもっているとき、それらがすべて（同時に）生起することは、単純に物理的に不可能なことだと思うかもしれないが、そんなことはない。逆である。理論物理学こそ、まさにそのようなことが可能であることを認めている。ここで念頭においているのは、量子力学で「重ね合わせ superposition」と呼ばれている現象である。量子力学では、光子や電子などの粒子が、論理的には互いに排他的なさまざまな状態を同時にもっている、と見なさざるをえないときがある。一つの粒子がここにありかつそこにある、一つの粒子が励起しておりかつ励起していない、等々のことが生ずる。これが、量子的な重ね合わせと呼ばれる現象である。ここから導かれる有名なパラドクスが、「シュレディンガーの猫」だ。この思考実験において、猫は生きておりかつ死んでいる、と見なさざるをえない。二匹の猫がいるわけではなく、また瀕死の猫がいるわけでもなく、同じ一匹の猫が生きており、そして同時に死んでいるのである。

　私たちが今ここで論じている、人間の「歴史」をめぐる問題は、もちろん、量子力学が適用されるような現象ではない。しかし、量子力学は比喩としての価値をもつ。量子力学の重ね合わせに類比させうることが、人間の歴史における「過去」との関係でも生ずることがある。『ねじまき鳥～』では、まさにこのことが、〈我々の死者〉を見出すのに利いている。

壁抜けの二つの方向

　村上春樹が導入した物語上の工夫について、まずは述べておこう。『ねじまき鳥～』では、井戸を通じての「壁抜け」というアイデアを使って、「現在」と「中国大陸での過去の戦争」とが結びつけられていた。この作品以降、井戸をめぐるこのアイデアは、村上の小説の中で、物語を発展させる定番的な装置として活用されるようになる。このアイデアが十全なかたちで登場するのは、『ねじまき鳥〜』が初めてだが、『世界の終りと〜』にその萌芽となるような設定がある。

ところで、『ねじまき鳥〜』の壁抜けと『世界の終りと〜』の壁抜けとでは、その抜けていく方向が正反対である。壁抜けのベクトルの向きが真逆なのだ。私たちは、この点に注目した〈第3節〉。『ねじまき鳥〜』の壁抜けは、〈現実〉へと向かっている。逆に『世界の終りと〜』の壁抜けは、〈虚構〉へと向かっている。『ねじまき鳥〜』よりあとの村上春樹の作品から、「井戸と壁抜け」は頻用されるようになると述べたが、それらの作品が継承している指向性は、『ねじまき鳥〜』のそれではなく、『世界の終りと〜』にあったそれである。『ねじまき鳥〜』は、村上春樹のすべての作品群の中で孤立した作品であって、これだけは逆に、主人公は〈現実〉へと向かうために壁抜けする。この違いは、前項での議論を承けて次のように説明できる。

今、出来事P_1と出来事P_2が、それ自体としては排他的で矛盾する性質をもっているとする。このとき、P_1とP_2は、それぞれ異なる「世界World」を定義する。その中でP_1が生起する可能世界W_1とP_2が生起する可能世界W_2。この二つの可能世界の間を――W_1とW_2の間を――通り抜けるための通路が「井戸」である。

二つの可能世界の関係が選言的なのか。それとも、関係が連言的で、それゆえ二つの世界が量子論的に重ね合わされているのか。前者であった場合には、壁抜けは、この現実の世界W_1とは異なる虚構の世界W_2へとつながる。後者であった場合には、W_1からW_2への壁抜けは、それ自体、〈現実〉への回帰という形式をとる。『ねじまき鳥〜』は、後者のケースである。

物自体を見る

『ねじまき鳥〜』の山本は、戦後の日本人にとって〈我々の死者〉である。前節で述べたように、その山本は、とてつもなく残酷な仕方で処刑される。どうして山本は、あれほど過酷な仕方で、全身の皮を剝がれるというやり方で殺されなくてはならなかったのか。

先に述べたように、小説はここで、間宮中尉に——それゆえ読者に——本来は見ることが不可能なもの、見るべきではないものを見せようとしている。この小説は、読者の「不可能な視覚」を触発し、引き出そうとしているのである。

精神分析のジャック・ラカンの用語を借りれば、山本の処刑は、「リアリティ」を超えた〈リアル〉である。あるいは、カントの用語に頼れば、それは、〈物自体〉だ。カントによれば、人が知覚しうるもの、見ることができるものは「現象」である。現象の背後にある物自体は決して知覚できない。山本の処刑は、そして皮を剝ぎ取られた山本の身体は、物自体として提示されている。

こんなふうに言うことができるだろう。見ることができる現象としては、村上春樹の父親が立ち合い、目撃したP_1「日本兵による中国兵の処刑」がある。これに、これとは異なる出来事P_2「ロシア人と外蒙古兵による日本人（山本）の処刑」を重ね合わせようとしたら、どのような書き方の技術が必要になるのか。P_2は、実際に経験的に現象したP_1と同様に現実的でなくてはならない。いや、もう少し正確に言えば、P_1以上に｛P_1かつP_2｝という重ね合わせ状態がリアルでなくてはならない。P_1が「現象」、｛P_1かつP_2｝が「物自体」であると納得させる必要がある。この要請が、あのとてつもなく残酷な処刑の描写を生み出しているのではないか。

あるいは、量子力学の比喩を活かして次のように言ってもよい。微粒子の世界ではときに、論理的には両立不可能な物理状態の重ね合わせが起きている、と見なさざるをえない。だが、量子力学の理論によれば、その重ね合わせの状態そのものを観測することは原理的に不可能だ。電子がここにあり、かつそこにある、という状態を観測することはできない。シュレディンガーの猫が生きており、同時に死んでいるという状態を観測することはできない。観測によって捉えたときには必ず、電子がここにあるか、そこにあるかのいずれかであり、猫は生きているか、死んでいるかのいずれかである。

ゆえに重ね合わせの状態を〈見る〉ということは、不可能なものを見ることである。実際、山本の処刑のシーンは、本来は見ることが不可能なこととして提示され、描写される。

7 〈我々の死者〉を救い出す

「起きるべくして起きた」のだが……

しかし、まだ決定的な疑問に答えられていない。〈我々の死者〉であるところの「山本」は、実際に起きたことP_1（日本兵による中国人の処刑）に、重ね合わせの状態で共存していた出来事P_2の中にいた、ということを認めよう。だが村上春樹は、いや厳密に言えば『ねじまき鳥〜』という小説は、そしてこの小説の主人公の「僕」（岡田亨）は、どうして、またいかにして〈我々の死者〉を見出すことができたのか？　この小説に、現代の日本人に意味ある教訓があるとすれば、この疑問に対する答えこそがそれであろう。現在の〈我々〉は、いかにして〈我々の死者〉を見出すことができるのか？　もし〈我々の死者〉が、通常の経験的な事実に重ね合わされた「反事実」の形態をとって存在しているとしたら、その死者を、歴史の中から叩き出し、救い出すことができるのは、どのような場合なのか？

この問いに答えるには、小説を離れて回り道を通らなくてはならない。哲学的な準備が必要になる。[*20] まず次のことに注目しよう。決定的な出来事、突出した出来事は、とりわけ破局的な出来事は常に必然として生起する。たとえば二〇一一年三月に福島第一原発の事故が起きたとき、私たちはこう思ったものだ。振り返ってみれば、この事故は起きるべくして起きた、と。私たちは、経済的な必要に駆り立てられて、地震が頻発する列島にあれほどたくさんの原発を造り、老朽化しても廃炉にしてこなかったのだから云々……。あるいは、やがて台湾海峡で米中の間の戦争が勃発したとすれば、そのときにも、人はきっと、これは必然だったと思うことだろう。

　ここで考えてみよう。必然ということは、不可避であるということ、それしか道がないということを含意している。そうだとすると、私たちには、どちらにせよ、福島第一原発の事故を防ぐ道はなかった、ということなのだろうか。あるいは、米中の軍事衝突は、避けようがないということなのか。そんなことはない。それらの決定的な出来事（原発事故、軍事衝突など）は、それらが起きていないときには、まだ不可避ではないのだ。

　あるいは、次のようなことも考えてみよう。台湾で米中の戦争が始まったときには、私たちはきっと、「そうなることは避け難かった」と思うだろう、と述べた。ならば、もし戦争が起きなかったら、私たちはどう感じるのだろうか。歴史の鉄の法則に反する不自然な展開になっている、不可避の運命に反する奇妙なことが起きている、と思うのか。そんなことはないだろう。そのときはそのときで、人は、戦争が起きなかったことに関して、必然を感じるはずだ。[*21]

必然性の遡及的な構成

こうした思考実験から、いくつかの論点を導き出すことができる。まず決定的な出来事の必然性は、事後的に構成されるということ。その出来事がまさに生起したという事実が、その出来事を必然として——そうなるほかなかったこととして——立ち現すことになる。言い換えれば、決定的な出来事は、まさにそれが起きたという事実を通じて、遡及的に過去を、自らの必然性の根拠として創造するのである。それが起きたという時点から過去を振り返ったときにはじめて、過去の諸事象が、その決定的な出来事を不可避にもたらす経路の中で役割を果たしていたことが明らかになる。念のために述べておくが、起きてしまった結末が、自らへと帰着するような過去の諸事象を捏造しているわけではない。それら諸事象はもちろんはじめからあるのだが、それらが、決定的な出来事を必然化するのに貢献していたということは、出来事の事後からの遡及的なまなざしの中ではじめて発見される。

戦争のような破局的な出来事が起きても起きなくても、その結果が必然だったと見えるだろう、と述べた。このことは何を含意しているのか。異なった結末から捉えたときは、過去の様相も異なっているということ、これである。

最終的にX（戦争勃発）に至ったとしても、またY（戦争回避）に至ったとしても、それらは必然だったことになる。X／Yがいまだ起きていない〈未来〉のことであった場合には、私たちの「現在」は、X／Yにとっては〈過去〉である。ということは、「現在」は、Xに帰着する必然の経路とYに帰着する必然の経路をともに含んでいることになる。が、考えてみると、これは論理的には奇妙なことである。必然性は、「他はありえない」ということを含意している。それなのに、「現在」において、Xへの必然性xとYへの必然性yとが共存している。どちらの必然性も、まさに必然性である限り、他を排除しているはずだ。つまり二つの必然性は排他的である。それなのに、XもYもまだ生起していない「現在」において、両者は共存している。二つの「可能性」が、選言的の形式（or）で共存しているのではない。二つの「必然性」が、連言の形式で（and）で共存しているのだ。これこそ、量子力学に喩えながら述べてきた「重ね合わせ」ということである。

連言的に共存するxとyのどちらかを「現在」が選んだとき、Xが、あるいはYが必然として——そうなるべくしてそうなったこととして——姿を現すことになる。ここでもう一度、二つのことを確認しておこう。第一に、「必然性」は、あらかじめ（アプリオリに）存在していたわけではなく——つまりあらかじめ決まっている運命のようなものではなく——、結果的に構成されるということ。第二に、Xであれ、Yであれ、それが生起したとき、偶有的なこと（他でもありえたこと）として姿を現すのではなく、必然として（こうなるほかなかったこととして）姿を現すこと。

未来を変えることと過去を見出すこと

これだけ準備しておけば、『ねじまき鳥～』の主人公「僕」がどうして、ノモンハンに〈我々の死者〉を見出すことができたのかを説明することができる。

鍵になることは、異なる結末からは、異なる過去が、過去の異なる様相が見出される、ということにある。未来にどのような結末が到来すると想定するかによって、異なる過去が見える。その想定された終わりの時点から過去を振り返る遡及的な眼差しを媒介にして、である。

普通、私たちは、現在の傾向のそのままの延長線上に未来を予期する。この場合の未来は、現在の継続である。しかし、現在から断絶した根本的に新しいものとして未来の結末を想定できたとしたらどうだろうか。そのような想定に確信をもてる者からは、現在の惰性の中に生きている者には見ることができない過去が見えるはずだ。

ここで『ねじまき鳥～』の主人公「僕」が何をやろうとしていたのかを、思い起こそう。彼は、失踪した妻クミコを捜しているのだが、その探索活動は、クミコの兄・綿谷ノボルとの戦いでもあった。この戦いは、親族内の私的なもめ事ではない。それ以上のものである。ノボルは権力者であり、管理社会の合理性を体現する邪悪な政治家である。クミコを奪還するためのノボルとの闘争は、政治的な闘争だ。「僕」はたった一人で、日本社会の頂点にいる権力者を倒し、革命を起こそうとしているのである。

革命の遂行者は、もちろん、現在からは断絶した新しい未来の到来を、結末に想定している。「僕」が、過去に、日本の戦前に、満洲に、ノモンハンに、他の誰もが見出しえなかった〈我々の死者〉を認めることができたのは、このためである。「僕」には、惰性の中に生きている日本人には見えない過去が見えている。（P_1によって定義された）W_1だけではなく、W_1と重ね合わされて共存する（P_2によって定義された）W_2が見えているのだ。そのW_2の中に、〈我々の死者〉（山本）がいる。

『ねじまき鳥〜』という小説は一見、その中で二つの無関係な物語が展開している、という印象を与える。妻クミコをめぐる綿谷ノボルとの闘争と戦前・戦中の満洲をめぐる物語。だが両者は実は、緊密に相関している。「僕」は、一種の革命家としてまったく新しい未来の到来を信じているがゆえに、満洲に、他人とは異なる過去を見ることができたのだ。同じことは、次のように言い換えてもよい。過去をまったく別様に見ることができる者、そこに〈我々の死者〉を見出すことができる者であったがゆえに、岡田亨は、異なる未来を信じ、たった一人の革命に向かうことができたのだ、と。

「未来を変えること」と「過去をまったく異なるものとして見出すこと」とは、別のことではない。両者は同じことの二つの側面である。支配的な解釈とは異なった過去の現実を見出すことができるとしたら、その人はすでに、現在からは断絶した新しい未来を「来るべきもの」として確信し、そこから過去を見ている。あるいはこう言ってもよいだろう。失われた〈我々の死者〉を見出し、救い出すことと、〈未来の他者〉に応答することとは、別のことではない、と。〈我々の死者〉への視線と〈未来の他者〉への視線は緊密に結びついているのである。

＊1　安彦良和は、敗戦から二年後の一九四七年に生まれた。小川哲は、戦後四〇年以上を経過した、一九八六年の生まれである。

＊2　村上春樹の年齢は安彦良和に近い。一九四九年の生まれで、団塊の世代に属する。

＊3　第三部が発表されたのは、オウム真理教による地下鉄サリン事件があった年であった。

＊4　松山愼介『「現在」に挑む文学』響文社、二〇一七年、七九〜八一頁。

＊5　高原到「失われた『戦争』を求めて——中上健次と村上春樹」『群像』二〇二〇年八月号、二二三〜二二四頁。中上と村上を対比したこの評論は、優れた洞察に溢れている。私はここから多くのヒントを得た。

＊6　村上春樹『猫を棄てる——父親について語るとき』文藝春秋、二〇二〇年。

＊7　高原、前掲の評論。

＊8　一人目の中国人であるあの教師が、私たちは友だちになれる、と訴えていたことを思うとよい。あるいは、二人目の中国人の女子大生に対しては、「僕」の方から、友だちになろうと働きか

けていた。三人目の中国人は、もともと、高校時代の友だちである。

*9 村上春樹「メイキング・オブ・『ねじまき鳥クロニクル』」『新潮』一九九五年一一月号。

*10 間宮中尉は、ずっと後にシベリアに抑留されたとき、この高級将校が「皮剝ぎボリス」の異名で恐れられていた人物であることを知る（第三部）。

*11 「僕」の妻クミコも、兄ノボルから性的虐待を受けていたことが暗示されている。

*12 橋本牧子「村上春樹『ねじまき鳥クロニクル』論――〈歴史〉のナラトロジー」『広島大学大学院教育学研究科紀要』第二部第五一号、二〇〇三年。

*13 村上春樹が二〇二三年に発表した『街とその不確かな壁』は、『世界の終りと～』の書き換えである。やはり二つの世界が併存し、並行している。虚構性の高い、ファンタジーのような世界は、前作の設定やイメージをおおむねそのまま継承している。それは、「不確かな壁」に囲まれた「世界の終り」という静かな街である。しかし現実的な世界の方は、ずいぶん異なっていて、「ハードボイルド」とは見なし難い。主人公の「ぼく」は、平凡な高校生であり、成人してからは、書籍の取次をする会社や地方の図書館で働く勤め人だ。二つの世界は、井戸に似た穴によって直結しているようだ。書籍の取次会社のサラリーマンだった中年の「ぼく」は、ある日、出し抜けにすとんと、地面に掘られた穴に落下する。その直後に、彼は、「世界の終り」の世界の別の穴の中にいる自分を見出す。彼は、「世界の終り」の門衛が、死んだ単角獣を火葬するために放り込む穴に出てきたのだ。地面に掘られた井戸のような穴が、二つの世界をそのままつないでいる。穴に落ちて、壁抜けしたら、壁に囲まれた世界に到着した、という

ことになる。

＊14 『街とその不確かな壁』の現実的な世界の方には、政治的闘争らしきものはまったく存在しない。主人公の「私」＝「ぼく」は何をしているのか。「私」はただひたすら、高校時代の恋人、突然去っていったファム・ファタールを追い求めている。『ねじまき鳥〜』の「僕」（岡田亨）の使命は二重の意味をもっているのだった。彼の使命は、妻クミコを見つけ、連れ戻すことであると同時に、綿谷ノボルとの政治的闘争にコミットし、勝利することでもあった。後者の政治的闘争という設定だけがあるのが、『世界の終りと〜』の「ハードボイルド・ワンダーランド」になり、前者だけに純化すれば、『街とその不確かな壁』になる。ちなみに、「ハードボイルド・ワンダーランド」の「私」の妻も、突然出て行ってしまったようだが、「私」には、妻を捜し求める意欲がまったくない。

＊15 川村湊「現代史としての物語――ノモンハン事変をめぐって――ハルハ河に架かる橋」栗坪良樹ほか編『村上春樹スタディーズ04』若草書房、一九九九年。馮英華「村上春樹『ねじまき鳥クロニクル』における〈満州記憶〉の叙述」『千葉大学人文社会科学研究』28、二〇一四年。

＊16 村上春樹は、中国人の捕虜を斬首したとき、自分の父親がそれをただ見ていただけなのか、それとも斬首を実行したのか、気になって仕方がなかった。しかし、彼はそれを父に問いただすことはできなかった（本章第1節参照）。

＊17 間宮中尉が目撃した山本の処刑がまずあり、その七年後に新京動物園での動物襲撃があって、その翌日に同じ動物園で四人の中国人が処刑された。

＊18　たとえば次のように。「中尉がようやく右の脇腹まで引廻したとき、すでに刃はやや浅くなって、膏と血に辷る刀身をあらわしていたが、突然嘔吐に襲われた中尉は、かすれた叫びをあげた。嘔吐が激痛をさらに攪拌して、今まで固く締っていた腹が急に波打ち、その傷口が大きくひらけて、あたかも傷口がせい一ぱい吐瀉するように、腸が弾け出て来たのである。腸は主の苦痛も知らぬげに、健康な、いやらしいほどいきいきとした姿で、喜々として辷り出て股間にあふれた。中尉はうつむいて、肩で息をして目を薄目にあき、口から涎の糸を垂らしていた。肩には肩章の金がかがやいていた」。

＊19　この点に関しては、私は以下で論じた。大澤真幸『三島由紀夫　ふたつの謎』集英社新書、二〇一八年、第八章。

＊20　私は、フランス人の政治哲学者ジャン＝ピエール・デュピュイがさまざまなところで論じていることに触発されながら、以下の議論を展開している。たとえば次の著書を参照。Jean-Pierre Dupuy, *Pour catastrophisme éclairé: Quand l'impossible est certain*, Paris: Édition du Seuil, 2002. Jean-Pierre Dupuy, *L'avenir de l'économie*, Flammarion, 2012. またデュピュイの時間論に影響されながら、エコロジーの問題について論じた、次の拙論も参照。大澤真幸「資本主義とエコロジー」『THINKING「O」』19号、二〇二三年。

＊21　この点については、デュピュイの次の著書が示唆的。Jean-Pierre Dupuy, *The War That Must Not Occur*, Translated by Malcolm DeBevoise, Stanford University Press, 2023.

開かれた結び

課題の再確認

本書での考察はここまでとする。とはいえ、本質的な探究がここで終わるわけではないのだが、ここまでのことをかんたんにまとめ、先への展望を開いておこう。

村上春樹の『ねじまき鳥クロニクル』をめぐる分析を最後に置いたここまでの議論は、第1章の最終節で提起した課題に答えを与えたことになっているだろうか。第1章で私はこう主張した。現代の日本人は、〈我々の死者〉をめぐる二律背反の前に立たされている、と。〈我々の死者〉の回復が、そのまま〈我々の死者〉の棄却でもなくてはならない、と。回復＝棄却という等式が成り立つようなかたちで、現在の〈我々〉は、〈我々の死者〉を（いかにして）回復することができるのか。第1章の最後に、このように課題を設定したのだった。

さらに、この課題は、〈我々の死者〉と〈未来の他者〉との接続に関する二つの脱構築的関係として一般化できる、とも論じておいた。第一に、〈我々の〉という特殊に限定された共同性を、〈未来の〉ということに本質的に含意されている普遍性へと開くこと。第二に、〈未来の他者〉に応ずるためにはときに、〈現在の我々〉は、〈我々の死者〉の遺志から自由になる必要があること。この二つの脱構築はどちらも、「現在の〈我々〉が〈未来の他者〉からやってくる呼びかけに応答しながら〈我々の死者〉を継承することが同時に、〈我々の死者〉を棄却することでもなくてはならない」ということを意味している。

さて、第1章の最後に掲げた課題に、本書のここまでの考察は回答を与えたことになっているだろうか。十分な回答を与えた、と主張するならば、それは言い過ぎだろう。村上春樹の一つの小説を通じて示唆したことは、戦後日本人の〈我々の死者〉の回復＝棄却、そして〈未来の他者〉への脱構築的な接続という観点から見れば、あまりにも特殊で限定的である。だが、原理的なことを言えば、そもそも、十全な回答はここで提出できるものではないし、また提出すべきものでもない。それは、今後の終わりなき探究と、それと連動する実践に委ねられなくてはならない。

〈未来〉への変革と〈我々の死者〉の発見

それでも、次のように言うことはできる。ここでの考察は完全な回答にはなっていないが、正しい回答がどの方向にあるのかを示すところまでは来たのではないか。

我々が得た最も重要な教訓は、〈未来の他者〉に応ずることと〈我々の死者〉を見出すこととは、緊密に一体化した作業だということ、これである。両者は、二つの異なることではない。

〈未来の他者〉の要請に応えるために、我々は、現状の趨勢の先にある「未来」ではないところに向かわなくてはならない、とする。つまり、〈未来の他者〉に応えるためには、「未来」へのトレンドを否定しなくてはならないとする。このことを自覚し、「未来」を〈未来〉へと切り替えようとするとき、現在の〈我々〉は、この自覚と相関して必然的に、過去に〈我々の死者〉を見出すことになる。現在までの趨勢を物語る歴史の記述の中で位置づけられてきた「死者」とは異なる〈死者〉を、である。第6章の最終節で詳しく論じたように、〈死者〉は、量子論的な重ね合わせと類比できるような形式で、「死者」と共存している。「我々の死者」を棄却することと、〈我々の死者〉を回復し救い出すこととは、表裏一体である。

繰り返し強調しておこう。「未来」への趨勢を克服し、〈未来の他者〉に応ずるべく現実を変革することは、〈我々の死者〉を歴史の中に見出すことに直結している。〈未来の他者〉に応ずるためには、〈我々の死者〉をまずは見出さなくてはならない。あるいは、〈未来の他者〉の思いに応えようとすれば、現在の〈我々〉は必然的・結果的に、過去に〈我々の死者〉を発見することになる。

あの男は〈我々の死者〉にはなりきれなかった

本書の考察は、村上春樹の『ねじまき鳥クロニクル』へと収束する探究を通じて、こうした結論的な洞察を得た。歴史に関連した問題を考えるのに、村上春樹の小説が有用だったということは、興味深いことである。なぜなら、村上の作品は――とりわけ前期の作品は――、無歴史性・非土着性によって特徴づけられる、とされてきたからだ。村上の小説が展開する空間は、実在の都市や土地の名前が言及されている場合でさえも、歴史の厚みや具体的な国民の生活感のようなものを感じさせない。それは無機質で抽象的だ。村上の作品には、リアリティから遊離して、その骨格構造にだけ抽象化された〈ファンタジー〉へと向かう力が働いている。

だが、村上作品を一般に特徴づけている、リアリティから〈ファンタジー〉への浮遊を可能にしていたその力が、通常とは反対方向に作用して、リアリティから〈現実〉への深化が実現した。そして〈我々の死者〉が一瞬、垣間見られた。それが『ねじまき鳥〜』という長編小説であろう。

それは、村上春樹の作品群の中で一度だけの達成であった。それ以前には一度も同じようなことがなされなかっただけではなく、その後の小説の中でも、この達成が反復されることはなかった。『ねじまき鳥〜』以降の作品の中でもときに、アジア・太平洋戦争（『海辺のカフカ』）やヨーロッパの第二次世界大戦（『騎士団長殺し』）が言及されるが、それらは観念的な寓話であり、ファンタジーの一種である。それらの作品は、〈現実〉への指向性をもたず、〈我々の死者〉に相当するものを見出してもいない。

『ねじまき鳥〜』を通じて見出された〈我々の死者〉は、処刑された工作員の「山本という男」であった。だがやはり、その山本も、不十分な〈我々の死者〉であると言わざるをえない。山本は、日本が国家として犯した過ちを補償する人物としてはあまりにも特異である。たとえば、司馬遼太郎が描いた坂本龍馬は、個性的な人生を歩み、志半ばで殺害されるが、現代の日本人が共通して、彼に、「〈我々〉の今日の礎を築こうとしていた人物」という思いを投射することができる。坂本龍馬は、〈我々の死者〉という想像力の対象として十全だ。だが、村上春樹が造形した山本には、このような社会的一般性が欠けている。確かに、第6章で述べたように、この男は、日本人が犯した罪に対する罰を、先取りして受けているのであり、その意味では、一定の共同性を代表している。が、すべての日本人が、彼のうちに、何らかの意味での自分（につながるもの）を見出しうる、というところまでには至るまい。だから彼は、日本人にとって十分に〈我々の死者〉の一人にはなりきれてはいない。

〈我々の死者〉という観点から捉えたときの、この山本という人物の不足、その弱点は、何に由来するのか。それは、著者である村上春樹の「歴史への想像力」の貧しさから来るものではない。ここで、先ほど述べたばかりのことをもう一度思い起こそう。〈未来の他者〉に応答することと〈我々の死者〉を見出すこととはひとつのことであった。『ねじまき鳥〜』という作品に貧しさがあるとすれば、それは〈未来〉への視線の方にある。

第6章で述べたように、『ねじまき鳥〜』の主人公「僕」が、山本という〈死者〉を見出すことができたのは、現在を直接的に延長したときに得られる「未来」とは異なるところに、来るべき〈未来〉を措定し、現状を打破する革命に一人でコミットしていたからである。「僕」は、現在の日本社会の政治権力を抑圧的なものだと見なし、日本社会に閉塞を感じている。だが、著名なエコノミストであり政治家でもある妻の兄に具体化されてイメージされている「権力」の様態は、あまりにシンプルだ。それは現代社会の権力構造の複雑さや精妙さには遠く及ばない素朴なイメージにとどまっている。そして、この「権力」に代わるべき〈未来〉に関しては、「僕」はいかなる積極的な構想ももってはいない。「僕」の〈未来〉への構想力の貧困が、山本の〈我々の死者〉としての資格の弱さに対応している。

〈我々の死者〉を失ったところから始めることとの反復

ゆえに、戦前・戦中に、真に十全な〈我々の死者〉を見出すことができるどうか、戦争の「死者」たちの中から〈我々の死者〉を叩き出すことができるかどうかは、現在の〈我々〉が、来るべき〈未来〉へと向けて断固とした選択をなしうるかにかかっている。つまり与えられた状況の中での有利なものの選択ではなく、状況そのものを規定している枠組みを変更するような選択をなしうるかどうか、このことが、〈我々の死者〉を救い出すことができるかどうかを決めるだろう。

ところで、現代の日本人が〈我々の死者〉を失ったのは、八〇年余り前に、祖先たちが、とてつもない過ちを犯したからであった。彼らは無謀で無意味な侵略戦争を遂行し、そして敗北した。我々の祖先たちは、取り返しのつかぬ罪を犯したのだ。そのことが、現在の我々にとって、〈我々の死者〉の喪失として体験され、その空白を埋めるのに、我々は特別に苦労している。戦後の日本人は、この点で、不幸な歴史を背負っている。

と、言いたいところだが、ここで立ち止まって考えてみよ。日本人だけが不幸なわけではない。どの国の歴史、どの共同体の歴史、どの集団の歴史にも、無数の過ちや罪が含まれているからだ。奴隷制があり、人種主義があり、民族差別があり、女性の抑圧があり、自由の侵害があり、特定の宗教の弾圧があり、異端審問があり……。そして、これらの過ちや罪は、定義上、取り返しのつかないものであり、常に手遅れの状態で見出される。取り返しが利く罪などというものは存在しない。人が、それらの過ちや罪や悪と戦い、これらを克服しようと決意するのは、それらが取り返しのつかぬかたちですでに起きてしまっているからである。人がたとえば人種主義の問題を解決しようとするのは、何世代にもわたって特定の人種が差別され、弾圧され、辱めをうけ、虐殺されてきた後のことだ。

そしていったん人種主義や奴隷制や女性の抑圧等々が誤りであると知ってしまえば、我々は、それらはかつてから常に誤りであったと見なさざるをえない。「あの頃は、それが（たとえば、黒人を奴隷化することが）正しかったのだ」という言い訳は利かない。ということは、その過ちを犯していた過去の他者たち（つまり死者たち）が、〈我々の死者〉の系譜から脱落するということである。

したがってこう言わねばならない。どの国民も、どの民族も、どの人民も、自らの罪や過ちを見出すたびに、〈我々の死者〉を失ったところから、あらためて始めなくてはならない。〈我々の死者〉を棄却しつつ回復することの反復、これは歴史をもつ共同体の宿命である。

ただ近代日本の場合は、〈我々の死者〉の喪失を、総力戦の敗北というかたちで経験した。死者たちの誤りや罪は、敗戦とセットになることで、深く全面的なものとして示されざるをえなかった。ほんとうは、戦争に負けたことが悪いわけではない。そもそも戦争を開始したことに、あるいは戦争を要請し、かつ正当化するようなシステムに、悪は宿っている。だが、その悪が、敗戦を通して経験されたがために、〈我々の死者〉の喪失は、ことのほか徹底したものとして経験されることになったのだ。

クリティカルな機会は常にある

先ほど述べたことを、繰り返そう。〈我々の死者〉を回復できるかは、現在の〈我々〉が、

〈未来の他者〉のために、状況を規定する枠組みを変更するような断固とした行動をとりうるか、ということにかかっている。最後に強調しておきたい。そのような行動のためのクリティカルな機会は常にあるということを、である。

たとえば、二〇二三年一〇月に勃発したガザ戦争――パレスチナのイスラム組織ハマースとイスラエルの間の戦争。日本人の大半は、この戦争は自分たちとは無縁の出来事だと解し、ただ外から眺めているだけだ。政府も、おおむねアメリカに追随しつつ、最小のことだけをやって済ませようとしている。だが、よく見よう。何が起きているのか、どうしてこんなことになっているのか、を。

この紛争の究極の原因は、イスラエルの、植民地主義的な行動とパレスチナ人に対する人種主義的な差別・弾圧にある。一九四八年のイスラエルの建国は、最も露骨で純粋な植民地主義的な手法であり、一九六七年の第三次中東戦争以降は、イスラエルは、本来はアラブ人のための地域を、我がものとして軍事的に占領している。イスラエルは建国以降、アラブ人たちの民族浄化をねらっているかのように振る舞ってきた。ガザ地区は、一種の人種隔離政策（アパルトヘイト）の産物である。

だが、誰でも知っているように、ユダヤ人のパレスチナ地域への入植には、通常の植民地主義にはない歴史的事情がある。イスラエルは、ユダヤ人がヨーロッパで受けた、史上最悪の人種主義的な差別・迫害（ホロコースト）に対する償いとして、ヨーロッパによって与えられたものである。ユダヤ人もまた人種主義の犠牲者である。

ガザ戦争は、あるいはパレスチナでの紛争は、どちらの陣営が正しくどちらがまちがっている、という以前に、全体として、西洋の過ち、西洋の罪の表現になっているのだ。西洋の過ち、罪とは、植民地主義と人種主義である。植民地主義は、もともとは（近世以降の）ヨーロッパにだけ見られる独特の行動様式である。ホロコーストに至るような過激な人種主義――ナチズム――は、ヨーロッパの中心に生まれたものだ。

今、なぜこんなことをわざわざ解説しているのか。日本は、アジア・太平洋戦争に至る過程で、またアジア・太平洋戦争を通じて、取り返しのつかない過ちを犯した、と繰り返し述べてきた。敗戦したとき、日本は連合国から厳しく断罪された。いったい日本の罪とは何だったのか。日本の過ちとは何だったのか。それを一言で要約することは難しいが、少なくとも、その中心に、アジアに対する植民地主義的な侵略と人種主義的な支配があることはまちがいあるまい。

さて、するとどういうことになるのか。今、かつて日本が犯した二つの過ちをそのまま体現するような戦争が起きている。植民地主義と人種主義の悪を心底から理解し、これらの過ちを克服したというのであれば、日本人としては、この戦争をとうてい座視することはできない……そう思うはずではないか。この戦争は、両当事者だけで解決することは絶対に不可能だが、アメリカはあまりにもイスラエル寄りで仲介者としては機能しない。とすれば、たとえば日本は——政府としても、あるいは市民レベルでも——仲介する第三者の役割を積極的に担うべく、何らかの行動を起こしたらどうか。それこそ、「状況を規定してきた枠組みを変更する断固たる行動」になるのではないか。

いずれにせよ、ガザ戦争やパレスチナ紛争について分析したり、解釈したりすることがここでの目的ではない。確認しておきたいことは、そのような「断固たる行動」を実行するためのクリティカルな機会は常に、さまざまな場面にある、ということだ。ガザ戦争に関連する局面も、その一例である。この種の機会を捉えて行動できれば、つまり現在の〈我々〉の利害に適応するのではなく、〈未来〉における〈我々〉のありうるかもしれない様態の必要に貢献すべく行動できれば、そのとき、結果的に、〈我々の死者〉は〈未来の他者〉へと接合されたことになるだろう。

＊

謝辞

本書は、「我々の死者（を超えて）」のタイトルで、集英社クオータリー『ｋｏｔｏｂａ』（二〇二一年夏号から二〇二三年秋号まで）に一〇回にわたって連載した論考を、加筆・修正したものである。

連載時も、また単行本の製作においても、集英社インターナショナル出版部編集長の本川浩史さんが、担当してくださった。本川さんの的確な理解と明るい応援がなかったら、多分、この仕事は終わらなかっただろう。本川さんに心より感謝申し上げたい。

二〇二四年二月二九日

大澤真幸

図版制作　タナカデザイン

本書は、集英社クオータリー『ｋｏｔｏｂａ』の連載「我々の死者（を超えて）」（二〇二一年夏号〜二三年秋号）を大幅に加筆・修正したものです。

大澤真幸（おおさわ まさち）

社会学者。一九五八年、長野県生まれ。千葉大学文学部助教授、京都大学大学院人間・環境学研究科教授を歴任。思想誌『THINKING「O」』（左右社）主宰。現代社会の諸現象を、高度なロジックで多角的に検証する。著書に『不可能性の時代』（岩波新書）、『三島由紀夫 ふたつの謎』（集英社新書）、『社会学史』（講談社現代新書）、『新世紀のコミュニズムへ』（NHK出版）など多数。

インターナショナル新書一三七

我々の死者と未来の他者
戦後日本人が失ったもの

二〇二四年四月一〇日　第一刷発行

著者　大澤真幸
発行者　岩瀬 朗
発行所　株式会社 集英社インターナショナル
〒一〇一-〇〇六四 東京都千代田区神田猿楽町一-五-一八
電話 〇三-五二一一-二六三〇
発売所　株式会社 集英社
〒一〇一-八〇五〇 東京都千代田区一ツ橋二-五-一〇
電話 〇三-三二三〇-六〇八〇（読者係）
〇三-三二三〇-六三九三（販売部）書店専用
装幀　アルビレオ
印刷所　大日本印刷株式会社
製本所　大日本印刷株式会社

ISBN978-4-7976-8137-6　C0236

インターナショナル新書

135
寄り添う言葉
永田和宏、小池真理子、垣添忠生、小池光、徳永進

天才歌人であり妻の河野裕子を亡くした永田和宏が、同じく伴侶を喪った人や多くの患者を看取ってきた医師と本音で語りあう魂の対談集。後悔や悲しみを抱えているすべての人に贈る一冊。

138
デジタル時代の恐竜学
河部壮一郎

近年、デジタルの活用で新種・新発見が相次ぐ恐竜研究。そのトップランナーの研究の日々と成果を紹介。岩石に埋まった化石を透視？　ティラノサウルスは実は繊細？　ペンギンモドキが「モドキ」じゃない？など。

139
クレーンゲームで学ぶ物理学
小山佳一

クレーンゲームの仕組みや景品ゲットまでの悪戦苦闘を描きながら、「座標・ばね・重心・てこの原理・振動・電磁誘導」といった、物理の基本に触れていく。ゲーム歴30年の物理学者による、オモシロ物理学入門！

140
味なニッポン戦後史
澁川祐子

だしから味の素まで、「うま味」をめぐる騒動とは？　糖質オフと甘いトマトとの関係は？　食糧難、高度成長、バブル崩壊、格差の拡大――。世相とともに揺れる日本人の味覚をたどれば、新たな戦後史が見えてくる。